PATRIMONIO DE LA HUMANIDAD

CENTROAMÉRICA
Y AMÉRICA DEL SUR

PATRIMONIO DE LA HUMANIDAD

CENTROAMÉRICA Y AMÉRICA DEL SUR

CUBA • HAITÍ
REPÚBLICA DOMINICANA
GUATEMALA • HONDURAS
COSTA RICA • PANAMÁ • COLOMBIA
BRASIL • ECUADOR • PERÚ
BOLIVIA • ARGENTINA

Nuevas Estructuras

Esta obra ha sido realizada con la colaboración técnica de UNESCO

© UNESCO/PLANETA DeAGOSTINI/INCAFO ARCHIVO FOTOGRÁFICO, S.L.

Edición especial para NUEVAS ESTRUCTURAS

ISBN de este volumen: 84-395-6020-6

ISBN Obra completa: 84-395-6018-4

Depósito legal: B. 31967-1997

CONTENIDO

AMÉRICA DEL SUR Y CENTROAMÉRICA

Escala Aproximada 1:36.000.000

0 500 1000 1500 2000 Km.

◇ La Habana
Trinidad y el Valle de los Ingenios
Ciudadela Henry , Palacio de Sans Souci , Ramiers
Santo Domingo ◇

MAR

CARIBE

MÉXICO
● Tikal ○
Quiriguá ◇
● Copán ◇
Río Plátano ○
Antigua Guatemala ◇
● Joya de Cerén ◇

Cartagena de Indias
● Coro ◇

Pico Bolívar
▲ 5002 m.
Orinoco

Portobelo y San Lorenzo
○ Cordillera de Talamanca/La Amistad
● Darién ◇

Río
Negro

Nevado de Huila
5150 m.
R.

Bocas del Amazonas

Islas Galápagos ○
● Quito
○ Sangay

Río
Amazonas

Tapajós

CORDILLERA

◇ Chan Chan
○ Río Abiseo
○ Huascarán
● Chavín ◇
◇ Lima
● Cuzco
Manú ○
Machu Picchu ◇ ○

R.

Sierra de Capivara ◇
Olinda ◇

Salvador de Bahía ◇

Brasilia ◇

DE LOS ANDES

Nevado Illampu
6362 m.
Lago Titicaca
Lago Poopó
● Sucre
Potosí ◇

Chiquitos ◇

Ouro Preto ◇
Congonhas ◇

Paraguay
Paraná

● Iguazú ○

R.

Misiones jesuíticas de los guaraníes ◇

Uruguay
R.

▲ Aconcagua
6959 m.

Estuario del Río de la Plata

OCÉANO

PACÍFICO

OCÉANO

ATLÁNTICO

● Los Glaciares ○

Más de
1500
1000
500
0 mts.
MAR

N
W · E
S

Presentación

América Central, las islas caribeñas y Sudamérica albergan una serie de lugares naturales singulares cuya importancia desborda sus propias fronteras, lo que ha propiciado su designación por parte de la UNESCO como sitios del Patrimonio de la Humanidad. Los espacios naturales de este continente bañado por el Pacífico y por el Atlántico son únicos. Algunos constituyen auténticos récords de la Naturaleza, como el Parque Nacional Los Glaciares, en Argentina, que posee una calota de nieves perpetuas de más de 14.000 km² de superficie, lo que la convierte en la mayor mancha glaciar del mundo si se exceptúan Groenlandia y la Antártida; o como las Cataratas de Iguazú, que forman frontera entre Brasil y Argentina, y que con sus 80 metros de caída y una extensión de 2.700 metros de largo pueden ser consideradas como las mayores cataratas del Planeta; o como el Parque Nacional Huascarán, situado en los Andes peruanos, considerado el macizo montañoso tropical más elevado del mundo con 27 cimas coronadas de nieve que sobrepasan los 6.000 metros de altitud.

Otros lugares naturales únicos de América Central y América del Sur son las Islas Galápagos, un santuario de vida animal perdido en medio del Pacífico cuyo aislamiento del continente durante milenios ha permitido la aparición de numerosas especies endémicas que hacen de él un auténtico laboratorio para la ciencia; el Parque Nacional Manú, que con más de un millón y medio de hectáreas protege diferentes ecosistemas, entre otros una parte de la selva amazónica –el mayor pulmón natural del mundo– caracterizada por el bosque tropical húmedo de llanura, y la cordillera Talamanca-La Amistad, en Costa Rica y Panamá, el único lugar de América Central en el que los glaciares del Cuaternario han dejado su marca indeleble y que por su estratégica situación geográfica ha permitido un intercambio genético entre la fauna y flora de América del Norte y América del Sur.

Pero América Latina no sólo ofrece una naturaleza virgen y variada, sino también un importante acervo cultural que se remonta a muchos siglos antes del descubrimiento de América. Así, la civilización maya está representada en la Lista del Patrimonio Mundial por sitios tan extraordinarios como Tikal y Quiriguá, en Guatemala, y Copán, en Honduras. Por otra parte, el gran imperio inca está hoy presente en las ancestrales piedras del Santuario Histórico de Machu Picchu y en los restos que aún se conservan en la ciudad de Cuzco, en Perú.

Del tiempo de la Conquista quedan hermosos ejemplos de ciudades coloniales con una arquitectura propia, fruto de una singular mezcla de las influencias europeas e indígenas. Así, por ejemplo, la Antigua Guatemala, en Guatemala; la ciudad de Santo Domingo, en la República Dominicana; las ciudades de Olinda, Salvador de Bahía y Ouro Preto en Brasil; la ciudad vieja de Quito, en Ecuador, y el centro histórico de Lima, en Perú. El comercio de América con Europa y los sistemas defensivos de los puertos marítimos coloniales quedan reflejados en la ciudad vieja de la Habana, en Cuba, en las fortificaciones de Portobelo y San Lorenzo en el Caribe panameño y en la ciudad colombiana de Cartagena de Indias.

La Lista del Patrimonio Mundial incluye también lugares que hacen relación a la actividad minera e industrial de alguno de estos países americanos, como la ciudad minera de Potosí, en Bolivia, a los pies de uno de los más importantes filones argentíferos del Nuevo Mundo; o la ciudad de Trinidad y el Valle de los Ingenios, en Cuba, testimonio de la enorme industria azucarera del siglo pasado en la isla caribeña. Las misiones jesuitas de los guaraníes en Argentina, Brasil y Paraguay, junto con las misiones de Chiquitos en Bolivia son, por su parte, el testimonio de una de las experiencias socioeconómicas más importantes llevadas a cabo por los españoles en Sudamérica.

América Central, las islas caribeñas y Sudamérica nos ofrecen en este volumen no sólo una naturaleza única y variada sino una historia cultural de antes y después de la Conquista que se extiende desde las pinturas y grabados rupestres de la Sierra de Capivara, en Brasil, que se remontan a los 50.000 años antes de Cristo, hasta la creación de la ciudad de Brasilia, ya bien mediado el siglo XX.

Ciudad vieja de La Habana y sus fortificaciones

Cuba

- ❖ **Nombre:** Ciudad vieja de La Habana y su sistema de fortificaciones (Cuba).
- ❖ **Declaración Patrimonio:** 1982.
- ❖ **Situación:** en el noroeste de la isla, frente a los estrechos de Florida; en los 23° 8' de latitud norte y los 82° 21' de longitud oeste.
- ❖ **Extensión:** 142,5 has.

L a isla de Cuba fue la primera de las Grandes Antillas descubierta por Colón, que arribó a ella el 28 de octubre de 1492. Cuatrocientos años más tarde se convertiría en el último resto del imperio español en América, perdido tras una guerra desastrosa que marcó profundamente la historia reciente de España. Cuba se convirtió así en la puerta por la que España entró y salió del Nuevo Mundo, y también en la más profundamente española de las islas del Caribe, a pesar de su piel oscurecida por la esclavitud.

T reinta años después de la independencia, Federico García Lorca se encontraba en La Habana con el espejismo de haber vuelto a Andalucía: "Es el amarillo de Cádiz con un grado más, el rosa de Sevilla tirando a carmín y el verde de Granada con una leve fosforescencia de pez." No era una intuición gratuita: el barroco cubano tiene, como veremos, secretas raíces que afloran a ambos lados del Atlántico.

Primeros pasos

A pesar de su temprano descubrimiento, Cuba tardó algunos años en ser colonizada. En 1510, cuando La Española ya florecía largamente, partió hacia la isla vecina, con cargo de gobernador, un enérgico segoviano llamado Diego Velázquez, célebre más tarde por sus enfrentamientos con Hernán Cortés

EL AÑO INGLÉS

Solamente un año, entre 1492 y 1898, dejó Cuba de pertenecer a la Corona española, pero fue un año clave. Tomada por los ingleses en 1762, tras un duro asedio, La Habana conoció en cambio una ocupación suave. El general Albemarle se esforzó en evitar enfrentamientos, y la población acabó descubriendo que el libre comercio era más rentable que el restrictivo sistema de flotas español. Un año más tarde, la colonia fue devuelta a España a cambio de la Florida, y el Gobierno se vio obligado a cambiar radicalmente su política ante las demandas de los isleños, iniciándose su etapa de mayor prosperidad desde la conquista.

—cuya primera fortuna se labró, por cierto, en las plantaciones cubanas— en los albores de la conquista de México. Poco a poco fueron naciendo las ciudades, al ritmo de una colonización que progresaba de este a oeste: la primera fue Baracoa, en el extremo oriental; la última y más occidental, La Habana, situada al fondo de una bahía a la que sólo puede accederse por un estrecho paso natural. La colonia prosperó rápidamente. No había minas, pero se establecieron plantaciones de tabaco y caña de azúcar, en el contexto de la llamada "economía de postres" —ca-

fé, azúcar y tabaco— que tanto condicionó la agricultura caribeña. A falta de indios, diezmados en pocos años por las epidemias, los suicidios y los malos tratos, se importaron negros para trabajarlas. El comercio inherente a todas estas actividades enriqueció a sus puertos, con La Habana a la cabeza. Pronto su opulencia eclipsó a todas las demás ciudades cubanas. En 1550 recibió finalmente el espaldarazo oficial a su creciente importancia, convirtiéndose en capital de la isla con el traslado de la sede de la Gobernación desde Santiago.

EL SÍNDROME CORSARIO

En esta decisión tuvieron un peso indudable las necesidades defensivas, que por entonces empezaban ya a ser acuciantes en todo el Caribe. Tras los primeros ataques corsarios de Hawkins y Drake, de los que no se libró La Habana, se emprendió un ambicioso plan para fortificar los puertos principales, desarrollado entre 1586 y 1589 por los ingenieros Antonelli y Tejeda. La Habana, con su bahía cerrada en cuello de botella, ofrecía inmejorables condiciones para aplicar el

La ciudad vieja de La Habana es el centro histórico urbano más importante de toda la región del Caribe, ya que ha conservado todo su sabor colonial. Las fotografías, de izquierda a derecha, nos muestran el palacio de los Capitanes Generales, el denominado palacio del Segundo Cabo y el actual cuartel de la Policía. En la página anterior, la catedral, situada en la plaza empedrada que lleva su nombre.

sistema de dos fuertes enfrentados que ya había sido empleado en Portobelo: así nacieron las fortalezas de El Morro y San Salvador de la Punta. Antonelli proyectó también una estrada cubierta para el viejo Castillo de la Fuerza, construido entre 1558 y 1577 y que albergaba la residencia del gobernador.

Este conjunto de fortificaciones se reveló sumamente eficaz: durante siglo y medio, todos los ataques se estrellaron contra sus muros, y sólo en 1762 pudieron los ingleses forzar la entrada de la bahía y apoderarse de la ciudad, que sería reconquistada un año más tarde por los españoles. Incluso entonces, no lo tuvieron fácil: fue preciso un asedio que se prolongó mes y medio, y minar la fortaleza de El Morro, para romper la línea de fuego cruzado que impedía el acceso al puerto.

En la historia de La Habana hay un antes y un después de este ataque, marcado por un cambio en la política española hacia su colonia, que tan cerca había estado de perder, y por el inicio de una fiebre constructora que hizo desaparecer la mayor parte de los edificios anteriores a esa fecha. La Habana vieja se convirtió así en una ciudad casi uniformemente barroca, estilo del que desarrolló una variante propia en la que se detectan gotas mudéjares y un inconfundible sabor gaditano, como advertiría mucho después García Lorca.

CONCIERTO BARROCO

Las características del barroco colonial cubano derivan, en gran medida, de factores aparentemente ajenos a cuestiones estéticas. La falta de mineros ricos que financiaran las obras de arte, el escaso arraigo de las órdenes religiosas, que impidió la fundación de grandes conventos, y la inexistencia de una mano de obra indígena, que adaptara a sus propios criterios artísticos los modelos de la metrópoli, condicionaron un arte muy diferente del que floreció en las ciudades de México o Perú. Por otra parte, hay que tener en cuenta que la piedra cubana, muy porosa, no se prestaba en absoluto a la talla ornamental, lo que obligó a desarrollar una versión más austera del barroco, pero en cambio se disponía de excelentes maderas que fueron abundantemente utilizadas en artesonados y balconajes.

Lo poco que subsiste de la ciudad anterior a la conquista inglesa revela influencias del arte virreinal mexicano, concretamente de la zona del Yucatán, la más próxima geográficamente a la isla. La iglesia de San Francisco (1719-1738) es la obra más notable de este período, al que pertenecen también la portada del primitivo colegio de Jesuitas, más tarde seminario, el santuario del Cristo del Buen Viaje y las iglesias de Santa Teresa y San Agustín.

A partir de 1763, la Corona española comenzó a ocuparse más de cerca de su recién recuperada colonia. Puesto que había que reconstruir los edificios públicos, se decidió rehacerlos íntegramente sin escatimar gastos. Por otra parte, las medidas destinadas a revitalizar el comercio se reflejaron en la construcción de viviendas acordes con el aumento del nivel económico de la población. Durante el último tercio del siglo XVIII, La Habana conoció una efervescencia arquitectónica sin precedentes, cuyas figuras punteras fueron el gaditano Pedro de Medina y el cubano Fernández Trevejos. Los nombres de ambos aparecen ligados a los tres principales edificios públicos del momento: la Catedral, la Casa de Gobierno y la Casa de Correos, sin que hasta la fecha haya po-

Las excepcionales condiciones naturales de su emplazamiento y su estratégica situación frente a la entrada del Golfo de México, convirtieron al puerto de La Habana en uno de los más importantes del continente americano. Junto a numerosas construcciones defensivas y militares, como el castillo de la Real Fuerza (arriba), en La Habana vieja se levantaron muchos edificios civiles, como la casa del Marqués de Arcos, junto a estas líneas. A la derecha, un esquinazo de la ciudad vieja.

CALLEJON DEL CHORRO

EN ESTE CALLEJON
DEL CHORRO
DERRAMABA LA ZANJA
QUE SURTIA DE AGUA
A LA CIUDAD EN EL AÑO 1592
COMO SU UNICO ACUEDUCTO

dido establecerse con precisión si los respectivos proyectos pertenecen a uno, a otro o a ambos. Sea como fuere, con Pedro de Medina llegan a La Habana las influencias de la metrópoli, y en particular de Cádiz, que marcarán el estilo de esta época.

LA CIUDAD DE LAS COLUMNAS

La influencia de la catedral de Cádiz se hace patente en su homóloga habanera, que fue inicialmente iglesia de la Compañía de Jesús. Tras la expulsión de la orden en 1767, fue remodelada para adaptarla a su nueva función. El resultado es una obra de gran personalidad, en cuya portada, ante la imposibilidad de recurrir a las decoraciones escultóricas por la ya mencionada calidad de la piedra, se buscaron otras soluciones para lograr la necesaria exuberancia barroca: roleos y curvas en la cornisa del primer cuerpo y en el remate de fachada, producen un singular efecto de ondas marinas. El espacio urbano en que se inscribe, una amplia plaza rodeada por edificios de la misma época, constituye además uno de los conjuntos más armónicos que puedan encontrarse en América.

La Casa de Correos y la de Gobierno –que hoy alojan, respectivamente, las sedes del Tribunal Supremo y el Ayuntamiento– se iniciaron en el mismo año, 1770, y presentan grandes similitudes en su estructura maciza y muy barroca, con una fachada porticada y decoración abundante, aunque carente por completo de motivos vegetales, lo que se ha interpretado como una influencia más de la escuela gaditana.

Sin embargo, lo más característico del conjunto urbano de La Habana vieja son las propias viviendas. En Cuba, donde se fraguaron grandes fortunas gracias a la agricultura, la ganadería y el comercio, la

arquitectura doméstica adquirió un enorme desarrollo, y en los momentos de mayor auge económico llegó incluso a superar en suntuosidad a los edificios públicos, tanto civiles como religiosos. Los palacios del marqués de Arcos, con su fachada porticada y balcón de hierro estilo Luis XV, y del conde de Jaruco, con magnífico artesonado en el salón principal, son los monumentos más originales de un estilo cuyas señas de identidad hay que buscarlas en las arquitecturas populares de Andalucía y Canarias. Patios centrales porticados, provistos a veces de una fuente y siempre exuberantes de plantas tropicales, así como artesonados de madera de clara raíz mudéjar, y barrocas portadas con grandes balcones igualmente de madera, caracterizan estas casas que, junto con las calles y plazas bordea-

La presencia española tras muchos años de colonialismo impregna toda la arquitectura del barrio antiguo de la ciudad. Es sobre todo el barroco español, que llegó a Cuba a través del arte regional canario, el que domina en este popular barrio como nos muestran las fotografías de izquierda y derecha. Abajo, la empedrada Plaza de Armas en el corazón de la ciudad vieja.

das de largos soportales, que hacen de La Habana "la ciudad de las columnas", en palabras de Alejo Carpentier, forman el paisaje urbano más típico del casco viejo habanero, cuyo estilo fue exportado, aunque con menos brillo, a otras ciudades de la isla como Santiago o Camagüey.

El predominio de la vivienda privada sobre el gran edificio oficial continuará siendo una constante durante el siglo si-

guiente, cuando la pérdida de las colonias continentales originó un nuevo florecimiento de la economía cubana. Pero los tiempos habían cambiado: acorde con la moda del momento, el barroco se veía sustituido por el neoclásico. Aparecen nuevos elementos, como los zócalos de azulejos de colores claros, y junto a la casa urbana comienza a adquirir gran auge otro tipo de vivienda: la quinta de recreo,

rodeada de espléndidos jardines tropicales. También en esta época, a causa del crecimiento urbano que obligó a demoler las murallas, comienza a diferenciarse la "Gran Habana", formada por los barrios nuevos, de la "Habana Vieja", encerrada por el perímetro invisible de las viejas murallas y por el recuerdo agridulce del oro y la sangre que cimentaron sus muros espléndidos.

Trinidad y
el Valle de
los Ingenios

Cuba

- ❖ **Nombre:** Trinidad y el Valle de los Ingenios (Cuba).
- ❖ **Declaración Patrimonio:** 1988.
- ❖ **Situación:** en la provincia de Sancti Spíritus, 300 km al sureste de La Habana; en los 21° 46' de latitud norte y los 80° 2' de longitud oeste.
- ❖ **Extensión:** 77 has.

Trinidad debe su historia y su razón de ser al azúcar. Cuando cayó la ruina sobre el Valle de los Ingenios, fruto de la extinción de la esclavitud, las guerras con España y la industrialización, Trinidad se detuvo en el tiempo. Por ello mismo, ha llegado hasta nuestros días casi intacta en su fisonomía urbana de los siglos XVIII y XIX con un legado excepcional de la historia de Latinoamérica.

La ciudad de Trinidad se halla enmarcada por la cordillera de Escambray, el mar Caribe y el valle de San Luis, llamado Valle de los Ingenios. Dicho valle fue el centro de la actividad económica de la ciudad durante la colonia. De esa época se conservan 58 plantas de elaboración del azúcar –o ingenios, de ahí el nombre de la vaguada– de los siglos XVIII y XIX, que son un importante ejemplo de la arquitectura industrial vinculada a la actividad azucarera de Cuba. La zona urbana protegida comprende más de 2.700 edificios bien conservados.

Encumbrada por el azúcar

La villa de Santísima Trinidad fue fundada por el español Diego de Velázquez en 1514. Durante el siglo XVI la ciudad se utilizó a menudo como punto de partida para las diversas conquistas del continente. Así sucedió con Francisco Hernández de Córdova en 1517, a fines del mismo año con Juan de Grijalva y un año después con Hernán Cortés, quien en Trinidad se abasteció de hombres y pertrechos para la toma del imperio azteca.

Durante el siglo XVII comenzó a instalarse una población estable y se perfila-

ron las principales actividades que posibilitaron el despegue económico de la comarca: el tabaco, el ganado y las ganancias de los corsarios. En el siglo XVIII, el azúcar tomó el protagonismo como principal dedicación de Trinidad y sólo entonces empezaron a construirse edificaciones con materiales perdurables.

Según un censo de 1778 la ciudad contaba con 642 viviendas y con una población de 6.486 habitantes. En 1795, tan sólo 17 años después, el censo se había duplicado: 13.881 personas, de las que 2.676 eran esclavos negros que trabajaban en 34 ingenios. Un año más tarde sucede un hecho que supone el espaldarazo definitivo para la importancia económica de la ciudad, al ubicarse en ella la Tenencia del Gobierno, con jurisdicción política y militar sobre toda la región central de la isla.

El siglo XIX supuso el culmen de esplendor de Trinidad, que en 1827 fue la urbe con mayor número de casas de mampostería y cubierta de tejas por habitante de Cuba. En dicho año, estaban en activo 56 ingenios en los que trabajaban 11.697 esclavos, y el censo total de la ciudad se elevaba a 28.706 almas. El emporio azucarero trinitario disfrutaba de plena salud y los ingenios, en teoría me-

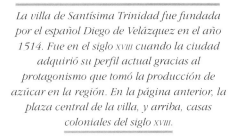

La villa de Santísima Trinidad fue fundada por el español Diego de Velázquez en el año 1514. Fue en el siglo XVIII cuando la ciudad adquirió su perfil actual gracias al protagonismo que tomó la producción de azúcar en la región. En la página anterior, la plaza central de la villa, y arriba, casas coloniales del siglo XVIII.

ros enclaves industriales, adquirían en la práctica caracteres de monumentalidad arquitectónica. En 1846 se alcanzó la producción azucarera más alta del Caribe: 669.192 arrobas. Los palacios de Cantero, de Bécquer, de Iznaga y otros muchos ya habían sido terminados. Otros testimonios del embellecimiento de la ciudad son el cuartel de Dragones y el de Infantería (concluidos en 1824 y 1830 respectivamente), la plaza de Carrillo (edificada entre 1837 y 1840), la Calzada de la Ermita

de la Popa, la Cárcel, la Beneficencia, el teatro Brunet, la Alameda de la Concha (1856) y la plaza Serrano, concluida ésta en 1857. En 1838 se instaló el alumbrado de petróleo en la ciudad, que fue sustituido por el de gas en 1859.

Al mismo tiempo, se urbanizó la parte baja de la ciudad más próxima a la costa según la clásica cuadrícula, duplicándose así el área urbana total, que alcanzó entonces las 88 calles que conformaban 220 manzanas. El empedrado, iniciado su

asentamiento en 1827, estaba casi concluido mediado el siglo y a continuación se empezaron a pavimentar las aceras.

DE USO DOMÉSTICO

El centro histórico de Trinidad declarado Patrimonio de la Humanidad se encuentra perfectamente delimitado y en muy buen estado de conservación. Este casco monumental cuenta con 1.207 edificaciones de las que 279 se erigieron en el siglo XVIII, 729 corresponden al XIX y las restantes 199 pertenecen a nuestro siglo, aunque sus líneas armonizan con el contexto general del casco histórico. Por su parte, en la zona de transición se levantan 1.505 edificios, en su mayoría de los siglos XVIII y XIX, muchos parcialmente modificados, y también contemporáneos. Dado que la gran parte de las edificaciones de ese corazón urbano son de carácter familiar, resulta una densidad llamati-

El valle de San Luis, situado 300 km al sudeste de La Habana, frente al mar de las Antillas, es más conocido localmente como Valle de los Ingenios, ya que en él se instalaron durante la época colonial numerosas plantas industriales para la elaboración del azúcar, denominadas "ingenios" en la isla.

vamente pequeña: 6.000 personas, según un censo de 1980, para 2.700 inmuebles.

Trinidad constituye un testimonio de inestimable valor de lo que fueron las antiguas fundaciones españolas en el Caribe y de su desarrollo, al haberse conservado sin grandes transformaciones. El conjunto, en su mayor parte, lo forman viviendas de uso doméstico, de mano anónima pero que, a través de las generaciones, han conformado un estilo peculiar y popular, de gran unidad expresiva. Dicha coherencia se refuerza en el uso continuado a través del tiempo de materiales y técnicas tradicionales, como la mampostería y el adobe, los techos de madera cubiertos de teja dispuestos "a la española", la rejería artística y el revoque de cal.

Elemento recurrente de la arquitectura de la región son los techos de alfarje —artesonados de piezas de madera labrada y combinadas artísticamente– heredados de los españoles. Asimismo, la talla de las puertas y la poderosa policromía de los muros realzan la vistosidad de los edificios, cuyo conjunto mantiene además la distribución espacial original y el antiguo empedrado.

TORRES ENTRE LA CAÑA

Las viviendas y establecimientos azucareros del Valle de los Ingenios, por su parte, son un ejemplo notable de la construcción industrial vinculada al azúcar, más incluso si se tiene en cuenta que ya escasean en Cuba. Núcleos destacados del valle son el conjunto histórico del ingenio Manacas Iznaga y las torres de los ingenios de San Isidro y Palmarito, que además son consideradas símbolos de la explotación azucarera del país. De Manacas Iznaga se conservan la casa principal, los barracones de esclavos, los almacenes, la enfermería, el pozo y la torre de seis pisos y 44 metros de altura desde la que se vigilaba el trabajo,

Las 1.207 edificaciones con que cuenta el casco monumental de Trinidad, la mayoría correspondientes al siglo XIX, (fotografías de la izquierda), se caracterizan por un estilo uniforme y popular, con uso de técnicas tradicionales como la mampostería y el adobe, y la utilización de rejería artística y el revoque de cal, unidos a las tallas de las puertas y a la llamativa policromía de sus muros.

se llamaba a oración o se daba aviso en caso de incendio.

El poblado vernáculo de San Pedro, a su vez, es un testimonio tangible de la cultura campesina de entonces y de las explotaciones más modestas, y se vincula de modo directo a las necesidades cotidianas del poseedor y al mismo tiempo constructor de la plantación y sus instalaciones.

Sin embargo, la crisis del sistema esclavista y los sucesivos levantamientos independentistas contra España, además de la baja en el precio del azúcar y de la naciente industrialización, provocaron una conmoción económica y política en el país a mediados del siglo XIX a la que Trinidad no se pudo sustraer. Poco a poco, la ciudad se fue estancando para caer paulatinamente en la ruina y la parálisis. Dato indicativo del abandono en que se vio sumida Trinidad es que hasta 1954 no se une por carretera con Sancti Spíritus y hasta 1959 con Cienfuegos. Precisamente este decaimiento y aislamiento de la vida cubana, su falta de contacto con el exterior y su imposibilidad de buscar otra actividad económica alternativa han favorecido la conservación de su casco histórico, así como la preservación de una serie de costumbres, artesanía, creencias e incluso modo de alimentación.

❖ **Nombre:** Parque Nacional Histórico
Ciudadela, Sans Souci, Ramiers
(Haití).

❖ **Declaración Patrimonio:** 1982.

❖ **Situación:** en el departamento del
Norte; en los 19° 34' de latitud norte y
los 72° 14' de longitud oeste.

❖ **Extensión:** 2.500 has.

PARQUE NACIONAL HISTÓRICO CIUDADELA, SANS SOUCI, RAMIERS

HAITÍ

Todavía hermosas, desmesuradas e incongruentes como el sueño del que nacieron, se alzan en el corazón montañoso de Haití las ruinas de un palacio y una fortaleza que doscientos años de saqueos, huracanes y terremotos no han conseguido abatir del todo. Sus muros albergaron los fastos de la corte de Henri Christophe, el esclavo que llegó a ser rey, protagonizando una soberbia paradoja que sólo el Siglo de las Luces, el siglo de las grandes mudanzas de la Historia, pudo hacer brevemente realidad.

Virtualmente tomada desde hacía tiempo por los bucaneros franceses que operaban desde la isla de la Tortuga, la parte occidental de la isla de La Española fue finalmente cedida a Francia en 1695, como una de las cláusulas de la paz de Ryswick. En manos francesas, Saint-Domingue se convirtió rápidamente en la colonia más próspera de las Antillas, gracias a sus extensas plantaciones de café, tabaco, algodón, cacao y sobre todo azúcar, sostenidas por la importación masiva de esclavos africanos.

DE LA ESPAÑOLA A SAINT-DOMINGUE

Como consecuencia de esta política esclavista, a finales del siglo XVIII la población de Saint-Domingue estaba formada por más de medio millón de negros y apenas cincuenta mil blancos. La inmensa mayoría de los negros eran esclavos, pero había también libertos, los llamados *affranchis*, y mulatos libres. Entre esta minoría de libres de color se habían llegado a forjar grandes fortunas, e incluso había grandes plantadores, dueños de numerosos esclavos, pero seguían sin equi-

pararse en derechos civiles a los blancos. En tan confusa situación, los esclavos querían ser libres; los *affranchis*, tener los mismos derechos que los blancos; los blancos, que todo siguiera igual, y confiaban para ello precisamente en la falta de unidad patente entre la mayoría de color.

Este volcán en potencia comenzó a dar los primeros signos de erupción a raíz de la Revolución Francesa, que puso de relieve la incongruencia de mantener una colonia esclavista bajo la escarapela de la libertad, la igualdad y la fraternidad. Los blancos se rebelaron sospechando un

Entre la violencia sin rumbo de las primeras rebeliones y la parodia napoleónica de Dessalines y Christophe, la figura de Toussaint surge como el único rayo de razón en los confusos inicios de la independencia haitiana. Hijo de un cacique de Guinea, creció en una hacienda del Artibonite de la que llegó a ser mayordomo. Aprendió a leer y adquirió una cultura muy superior a la de la mayoría de los blancos de Saint-Domingue. Pronto se convirtió en el jefe natural de la rebelión, cuyos excesos intentó siempre moderar, y en la que adquirió el sobrenombre con que pasaría a la leyenda: L'Ouverture, el que abre el camino.

La Ciudadela Henry (derecha y página anterior), inaugurada en 1813, es el elemento arquitectónico más importante y el mejor edificado de este parque nacional histórico. Forma un amplio cuadrilátero irregular, de casi una hectárea, construido de ladrillo macizo, formando un conjunto de cuatro cuerpos que ciñen la cima del pico Laferrière de 875 m. Junto a estas líneas, un óleo del rey Christophe.

próximo recorte de sus privilegios; los *affranchis* se rebelaron porque este recorte se hacía esperar demasiado; los esclavos, en fin, se rebelaron porque la confusa situación favorecía el estallido de todos los antiguos odios.

Dirigida por el jamaicano Bouckman, maestro en artes del vudú, la insurrección se inició en el verano de 1791 en la llanura del Artibonite, al norte de la isla, región en la que se localizaban las principales plantaciones. Blancos pasados a machete, haciendas quemadas y una represión brutal fue el saldo de esta primera fase de una rebelión que se creyó ahogada en sangre y no había hecho sino empezar. Poco después resurgía bajo las banderas de Toussaint L'Ouverture, un antiguo esclavo cuya tenacidad le permitió acceder a una educación de la que

pocos blancos de la isla podían vanagloriarse, y que llegaría a ser el héroe de la independencia haitiana y una de las grandes figuras del siglo.

DE SAINT-DOMINGUE A HAITÍ

Abolida finalmente la esclavitud por la Asamblea Nacional, Toussaint fue nombrado general del ejército francés y derrotó a los ingleses, que intentaban aprovechar la confusión para apoderarse de la colonia. Pero las cosas estaban cambiando muy deprisa en la metrópoli. La euforia revolucionaria fue sustituida por la involución napoleónica, y L'Ouverture, a pesar de su fidelidad a Francia, pronto se convirtió en un estorbo para el empe-

El Palacio de Sans Soucci, edificado entre 1807 y 1813, ocupa una extensión de 20 hectáreas, rodeadas por macizos montañosos. La mayoría de las construcciones (cuarteles, talleres, hospital, establos, cárcel, arsenal...) se encuentran en estado ruinoso, a excepción del Palacio Real (derecha), de 51 metros de largo por 25 metros de ancho, formado por un piso bajo, un sótano y un piso alto con las dependencias y habitaciones.

rador, que proyectaba devolver la colonia a su antigua economía esclavista y envió, para someterla, a su cuñado, el brillante general Leclerc. Antes de que la fiebre amarilla le hiciera volver a Francia en una caja de madera, Leclerc tuvo tiempo de arrestar y enviar a la metrópoli al líder negro, que no sobreviviría a su primer invierno en una húmeda fortaleza del Jura.

Su desaparición no puso fin a la guerra. Sus antiguos lugartenientes Jean-Jacques Dessalines y Henri Christophe tomaron el mando, consiguiendo hacerse con el control de la colonia, cuya independencia proclamaron el 1 de enero de 1804 con el antiguo nombre prehispánico de la isla: Haití.

Adoptando el título de emperador, Dessalines emprendió la tarea de reorganizar la antigua colonia y de protegerla de un ataque francés que consideraba inminente. A tal fin encargó a Henri Christophe, nombrado gobernador de la provincia del norte, la construcción de una fortaleza sobre el pico Laferrière, en las proximidades de Cap Français, el actual Cap Haïtien. El emplazamiento, aunque probablemente el emperador no lo supo jamás, estaba cargado de resonancias históricas.

Se trata del único punto en toda la isla desde el cual se divisa todo el tramo de costa descubierto por Cristóbal Colón en su primer viaje, incluido, probablemente, el lugar donde se alzó el fuerte de la Navidad.

En 1806, apenas iniciadas las obras de la futura Ciudadela Laferrière, conocida hoy como Ciudadela Henri, Dessalines fue asesinado, y se abrió una batalla por la sucesión entre Christophe y el mulato Alexandre Pétion que se saldó con la escisión del país. El norte quedaba bajo control de Christophe, que en 1811 abandonó la fórmula republicana inicial para proclamarse rey, mientras el centro y el sur se convirtieron en una república gobernada por Pétion.

LAS OBRAS DEL REY

Henri Christophe era un antiguo *affranchi* que había sido cocinero primero, y más tarde propietario de un hostal en Cap Français. Heredero de la obsesión de Dessalines por un ataque napoleónico que jamás se produjo, gran parte de sus esfuerzos se encaminaron a hacer de la Ciudadela una fortaleza inexpugnable. Hombres, mujeres y niños fueron movilizados en esta obra titánica cuya construcción, nunca acabada del todo, aunque desde 1813 estaba ya en funcionamiento, se dice que costó 20.000 vidas.

Su estructura se organiza en torno a un patio central en dos niveles, rodeado por cuatro cuerpos de edificación cuyas desiguales alturas se adaptan a la abrupta cima del pico en que se asientan. Cada uno de estos cuerpos está protegido en su ángulo exterior por una torre, destacando ostensiblemente del conjunto la llamada Torre del Espolón, que avanza como la proa de un navío sobre el ángulo nordeste de la fortaleza, con la que se articula mediante una amplia

La estratégica Ciudadela Henry posee unas poderosas fortificaciones defensivas que se reparten en ocho niveles diferentes. Los ángulos exteriores de la fortaleza se protegen con cuatro torres, formando en varios pisos unas defensas de ocho baterías que dominan todos los alrededores. Arriba, una de estas baterías.

rotonda. Un frente de baterías en ocho niveles constituía la principal defensa del conjunto, cubriendo con el fuego de sus 150 cañones, que jamás llegaron a disparar, todos los ángulos posibles de aproximación. Una segunda fortaleza menor sobre el llamado Site des Ramiers –Sitio de las Palomas Torcaces–, hoy muy arruinada pero que revela un conjunto residencial protegido por una doble muralla, completa las defensas de la vecina Ciudadela.

A la sombra de este bastión inexpugnable alzó el rey Henri I su palacio de cuento: Sans-Souci. En él se desarrollaron los fastos y formas de esta corte concebida a imagen y semejanza de la napoleónica, y es evidente que en su construcción no se escatimaron esfuerzos. Se trata, en realidad, de un vasto complejo de gobierno que, además del palacio propiamente dicho y de la residencia del príncipe heredero, incluye cuarteles, establos y talleres, edificios administrativos, una capilla y otros elementos de los que

apenas si han sobrevivido los cimientos. Sólo el palacio real, con su espléndida escalera de doble vuelo y su fachada de arquerías, conserva algo del viejo esplendor original del conjunto.

EL FINAL DEL SUEÑO

Desde el primer momento, la monarquía de Henri I no careció de contestación. Firme admirador de la cultura y las formas de vida francesas, sentó las bases de su Estado sobre un modelo europeo, con fuerte influencia de la Iglesia católica, rechazando abiertamente las creencias animistas de origen africano que estaban profundamente enraizadas entre sus súbditos. Sofocando algunos levantamientos, Henri I pudo, sin embargo, sostener su reino hasta 1820, año en que cayó víctima a la vez de una hemiplejia y de una rebelión de su ejército, ante lo cual optó por suicidarse, quiere la leyenda que

La estructura de la Ciudadela se organiza en torno a un patio central a dos niveles, rodeado por cuatro cuerpos de edificación cuyas alturas desiguales se adaptan a la abrupta cima del pico en el que se orientan. Numerosas personas acceden diariamente a este símbolo de la libertad haitiana.

con una bala de plata. Sus dominios fueron absorbidos por la república del sur, ahora gobernada por el general Boyer, sucesor de Pétion, reunificándose así definitivamente el país.

Tras la muerte del rey, sus monumentos quedaron abandonados al pillaje de sus antiguos súbditos. La Ciudadela había sufrido ya importantes daños en 1818 cuando un rayo hizo explotar el polvorín, pero fue, con todo, la parte mejor librada del conjunto, aunque posteriormente fue dañada por las violentas tormentas tropicales y por el terremoto de 1842, que destruyó Cap Haïtien y provocó fisuras en la Torre del Espolón. Los cimientos de la fortaleza, afectados por el terremoto, por las intensas lluvias a que está sometida la región y por lo precario de su asentamiento en una estrecha cima, se encontraban asimismo seriamente deteriorados y amenazaban con futuros derrumbamientos. Recientemente se realizaron importantes obras de consolidación y restauración con apoyo de la UNESCO.

Peor suerte le cupo al palacio de Sans Souci, que el escritor cubano Alejo Carpentier imaginara, recién inaugurado, como "un palacio rosado, un alcázar de ventanas arqueadas, hecho casi aéreo por el alto zócalo de una escalinata de piedra". Fue prácticamente destruido por el terremoto de 1842, después de haber sido concienzudamente saqueado por la multitud a la muerte de Christophe. A excepción de la capilla, ninguno de sus edificios ha sido restaurado, y sólo se han emprendido algunos trabajos de consolidación.

Incluso desde su ruinoso estado actual, el conjunto sorprende todavía por el vigoroso aliento que trasluce, máxime si tenemos en cuenta que no estamos ante la obra de ninguno de los grandes arquitectos de la época, sino de autores anónimos que supieron alzar en la tierra que conquistaron con su sangre un monumento como jamás osaron soñarlo sus antiguos amos.

Las dos fotografías superiores nos muestran una vista general en medio de la selva del Palacio de Sans Souci y un detalle del mismo, mientras que las inferiores lo hacen del sitio de Ramiers. Este último, contemporáneo de la Ciudadela, estaba formado por una residencia y cuatro fortines. Tras la muerte de Henry Christophe en 1820, el lugar fue saqueado y demolido. El viento y la intemperie completaron la destrucción del lugar. Desde la Ciudadela, un estrecho sendero conduce hasta estas ruinas.

CIUDAD COLONIAL DE SANTO DOMINGO

REPÚBLICA DOMINICANA

- ❖ **Nombre:** Ciudad colonial de Santo Domingo (República Dominicana).
- ❖ **Declaración Patrimonio:** 1990.
- ❖ **Situación:** en el sur del país, en el litoral caribeño, es la capital de la República; en los 18° 30' de latitud norte y los 69° 55' de longitud oeste.

El seis de diciembre de 1492, en el curso de su primer viaje americano, arribó Cristóbal Colón a una tierra que le pareció, de cuantas hasta entonces llevaba vistas, la más fértil y amable, con "vegas y campiñas que era una maravilla ver su hermosura", según anotaría en su diario. Tan lucida era la nueva isla descubierta, que al Almirante no le cupo duda de que se trataba ni más ni menos que del mismo Cipango; tan parecida en sus paisajes a las tierras de Castilla, que fue bautizada con el nombre de La Española, aunque los indígenas le daban el de Haití.

En aquella isla surgieron los primeros ensayos de colonización de las nuevas tierras: el malhadado fuerte de la Navidad, la efímera colonia Isabela, y por fin la ciudad de Santo Domingo, hoy convertida en capital de la República Dominicana, país que comparte actualmente junto con Haití el territorio de la antiguamente llamada isla Española.

LAS COLONIAS FALLIDAS

Los primeros contactos entre los españoles y la futura colonia tuvieron algo de idílico: la tierra era hermosa, los indígenas amistosos, e incluso parecía haber oro tierra adentro. En la costa septentrional de la isla, no lejos de un alto cerro que llamó Monte Christi, Colón construyó el fuerte de la Navidad con los restos de

la *Santa María*, que había encallado sin posibilidad de reparación, y dejó en él a treinta y nueve españoles bajo la protección del cacique local. Hasta aquí llegó el idilio. Cuando regresó a La Española un año más tarde, el fuerte estaba arrasado, los españoles muertos y los indígenas recelosos. Se habló de peleas entre ellos y con un cacique enemigo, de abusos y, cómo no, de ambición desmedida por el

oro: todo lo que, a partir de entonces, será moneda común en la historia de la conquista de América. El Almirante procuró silenciar el asunto y fundó una nueva colonia más al este: La Isabela. Al frente de ella quedó su hermano Bartolomé, que pronto tuvo que enfrentar las primeras rebeliones contra su autoridad. En 1496 tomó la decisión de abandonar La Isabela y trasladar la colonia a la costa sur de la isla, donde fundó el asentamiento de Santo Domingo, en la orilla izquierda del río Ozama. Allí arribó Colón el 20 de agosto de 1498, en el curso de su tercer viaje, encontrando una ciudad recién fundada –la fecha oficial de fundación fue el 4 de agosto del mismo año– y ya en plena sublevación.

Éste y otros asuntos costaron al Almirante el cargo de Virrey y Gobernador de la colonia, en el que fue sustituido por Francisco de Bobadilla primero, y Nicolás de Ovando poco después. En 1502, recién llegado este último a Santo Domingo, un ciclón destruyó la ciudad y la flota en que su antecesor regresaba a Castilla. El desastre costó más de 500 vidas, entre ellas la del mismo Bobadilla, y cuantiosas pérdidas materiales en barcos y oro. Santo Domingo hubo de ser íntegramente

Las dos fotografías superiores nos muestran dos aspectos de la casa de Colón, el edificio más emblemático del viejo Santo Domingo, cuyo nombre viene no del descubridor sino de su hijo primogénito Diego. Abajo, las ruinas de la Paloma, y en la página anterior, el edificio ruinoso de San Nicolás de Bari.

reconstruida, y Ovando decidió trasladar su emplazamiento a la orilla derecha del Ozama, donde aún permanece.

LA CIUDAD DONDE TODO COMIENZA

Los anteriores asentamientos de La Española, incluido el primer Santo Domingo, habían tenido mucho de pro-

visional. Por el contrario, la fundación de Ovando es ya una ciudad en el más amplio sentido de la palabra, con una planificación previa y consciente del tejido urbano, que se atribuye al propio Virrey y que constituye el primer ejemplo del célebre trazado "en damero", generalizado en años sucesivos para todas las fundaciones hispanoamericanas. Se ha discutido mucho sobre el origen de este modelo,

que pudo tener su precedente inmediato en la ciudad-campamento de Santa Fe, creada por los Reyes Católicos como cuartel general para la conquista de Granada, y a cuya fundación asistió probablemente Ovando.

En el contexto amplísimo del urbanismo colonial hispanoamericano, Santo Domingo aparece como un primer ensayo, todavía vacilante, del trazado en damero: las calles no eran del todo paralelas, y muchas manzanas resultaron trapezoidales. Lo mismo sucede en los demás ámbitos, ya que en la capital de La Española se estaban estrenando, durante aquellos años, todas las futuras señas de identidad del mundo colonial, desde las ideas a los estilos arquitectónicos, desde los cargos a las formas de vida. Santo Domingo se convirtió en la sede de la primera catedral americana, así como del

Numerosos edificios religiosos y civiles que datan de la época colonial han llegado hasta nuestros días superando, no sólo los numerosos terremotos, sino también asaltos corsarios. Sobre estas líneas, la fachada principal del Panteón Nacional. A la izquierda, la pequeña capilla de las Efemérides.

primer hospital, el primer convento, la primera universidad y la primera fortaleza. Resulta difícil, no obstante, hablar aún de arquitectura colonial, ya que todos estos edificios fueron trazados por maestros españoles y siguiendo modelos españoles. Habrá que esperar a la conquista de México, y al encuentro con las desarrolladas culturas mesoamericanas, para que se inicie el mestizaje cultural que dará su personalidad propia al arte iberoamericano.

De hecho, el único rasgo peculiar de estas primeras fundaciones es su arcaísmo. La catedral, edificada entre 1521 y 1541, cuando en toda Europa triunfaba el Renacimiento, pertenece al estilo gótico tardío. Su planta es de tres naves cubiertas con bóvedas de crucería, rematada la central en ábside y las laterales en cabeceras planas. El conjunto se completa con una torre y capillas laterales a ambos lados. Las capillas más tardías fueron ya construidas en el nuevo estilo renacentista, que llegó a La Española justo a tiempo de dejar su influencia en la fachada de la catedral. Se advierte en ella una primera aproximación al modelo de la portada-retablo, que tan espléndidas obras produciría en todo el continente americano, sobre un portón doble con parteluz central, típicamente medieval.

CONVENTOS Y PALACIOS

Tres órdenes religiosas –dominicos, franciscanos y mercedarios– fueron pioneras en la evangelización del Nuevo Mundo. Todas ellas tuvieron en Santo Domingo importantes conventos, de los cuales sólo la iglesia de los Dominicos ha llegado completa hasta hoy. Terremotos y asaltos corsarios, las dos grandes pesadillas del Caribe español, dejaron su huella destructiva en ellos como la dejaron en el Hospital de Nicolás de Ovando, fundado por el tercer Virrey de La Española en el lugar donde una negra piadosa atendía a los enfermos pobres. La fábrica actual, o lo que queda de ella, pertenece no obstante a una época posterior: se edificó entre los años 1533 y 1552, en un estilo típicamente renacentista que sirvió de modelo a muchos otros en el ámbito colonial.

Pero el edificio quizá más emblemático del viejo Santo Domingo es un suntuoso palacio. La Casa de Colón no debe su nombre al descubridor, sino a su primogénito Diego, y se cree que en ella

La catedral de Santo Domingo (izquierda, arriba), construida entre 1521 y 1541 pertenece al gótico tardío y posee tres naves cubiertas con bóvedas de crucería. Es la primera catedral que se construyó en América, lo mismo que en esta ciudad se edificó el primer hospital, el primer convento y la primera fortaleza. Sobre estas líneas, la denominada Plazoleta de la Locura y el Panteón Nacional. A la derecha, la maciza fortaleza Ozama.

murió Bartolomé Colón, el fundador de la ciudad. Se trata de un hermoso palacete de dos plantas, con galerías de arcos rebajados en las fachadas oriental y occidental. Diego Colón comenzó a construirlo en 1510, poco después de su boda con María de Toledo, sobrina de Fernando el Católico y pariente del Duque de Alba. El nuevo estatus social del hijo del tejedor genovés exigía un marco adecuado en el que desarrollar una vida cortesana que llegó a ser muy brillante en estos primeros tiempos de La Española. Por entonces, el apellido Colón estaba aún ligado a muchos de los primeros pasos de la colonia –¿quién sino ellos inició el cultivo de la caña de azúcar, la importación de esclavos negros o la moda del tabaco?–, y no se había iniciado el tiempo terrible de los piratas que, desde la cercana isla de la Tortuga, se esforzaban en arrancar a los españoles pedazos del suculento pastel colonial: oro, desde luego, pero también territorios. Durante los siglos XVII y XVIII, el Caribe dejó de ser un *mare nostrum* español, a medida que un número creciente de islas iba engrosando las posesiones inglesas, francesas y holandesas. Incluso la parte occidental de La Española pasó a manos de Francia en 1659, siendo el origen de la división actual de la isla.

En Santo Domingo no se puede aún hablar de arquitectura típicamente colonial, ya que todavía no se había iniciado el mestizaje cultural y todos los edificios fueron trazados por maestros españoles y según modelos traídos de España. A la izquierda, la puerta de San Diego, el monumento al Padre Bellini y el museo de la Casa Real. A la derecha, el reloj solar frente al museo de la Casa Real.

Parque Nacional de Tikal

Guatemala

❖ **Nombre:** Parque Nacional de Tikal (Guatemala).
❖ **Declaración Patrimonio:** 1979.
❖ **Situación:** en el departamento de Petén, al norte del país; en los 17° 13' de latitud norte y los 89° 37' de longitud oeste.
❖ **Extensión:** parque nacional: 57.600 has, zona arqueológica: 1.600 has.

H ace tiempo que Tikal dejó de ser un sueño de piedra devorado por la vegetación, del que los viajeros que sobrevolaban la selva del Petén apenas podían distinguir las cimas de las pirámides más altas. Las excavaciones han puesto al descubierto el mayor centro ceremonial de la cultura maya, abandonado durante más de mil años, revelando templos y palacios, tumbas, estelas y calzadas. Más allá de sus límites se extiende de nuevo el bosque tropical, evocando el gran enigma de una cultura que supo florecer en uno de los medios más adversos del planeta.

Uno de los mayores obstáculos con que ha tropezado la investigación de la cultura maya ha sido la ubicación de sus ciudades, muchas de ellas enterradas en el corazón de las espesas selvas del Petén guatemalteco, al sur de la península del Yucatán. Precisamente aquí se alza Tikal, no lejos del lago Petén que Cortés descubriera en su desafortunada expedición a las Hibueras. Hasta allí llegó, por puro azar y en fecha tan tardía como 1696,

el misionero Andrés de Avendaño, probablemente el primer europeo que pudo ver la ciudad dormida. Su descubrimiento oficial, no obstante, se haría esperar hasta 1848, a cargo de Ambrosio Tut y Modesto Méndez. A partir de esta fecha, se suceden las misiones científicas que dejan constancia de la grandiosidad de las ruinas, pero sin que se lleve a cabo ninguna excavación sistemática hasta bien entrado el siglo XX.

LOS VIAJEROS DE LA SELVA

Un vasto proyecto de la Universidad de Pennsylvania, dirigido por William Coe, acabaría con esta situación. Entre 1956 y 1969, Tikal salió por fin a la luz, colmando con creces las expectativas que habían despertado sus ruinas. Aunque las primeras campañas tuvieron mucho de aventura –los aviones aterrizaban en pistas abiertas a machete en medio

*Invadido por una selva tropical muy densa
(izquierda), en este centro ceremonial maya
que ocupa unas 1.600 hectáreas se han
descubierto hasta la fecha más de 3.000
elementos arquitectónicos que van desde
estelas, tumbas y altares hasta los seis
principales templos. Arriba, la Acrópolis.
Junto a estas líneas, ruinas mayas,
y en la página anterior, el templo
del Jaguar Gigante.*

de la selva, y los arqueólogos se alojaban en chozas techadas con hojas de palma–, lo cierto es que estaban ya lejos los tiempos del arqueólogo solitario que se abría paso a base de tenacidad por regiones inexploradas. Amplios equipos multidiscipinares, manejando las más avanzadas tecnologías, eran desde los años cuarenta la nueva forma de investigar el pasado, y Tikal fue uno de los proyectos pioneros del sistema, proporcionando avances espectaculares en el conocimiento de la compleja civilización maya.

LOS ORÍGENES

Desde 1970, las excavaciones han continuado en el marco del "Proyecto Tikal", ya en manos guatemaltecas y con financiación del Banco Centroamericano de Integración Económica. Hasta el momento se han detectado más de 3.000 construcciones de diversa complejidad, que ocupan un área de 16 km². Centro turístico de primer orden, su conservación ha exigido la creación de un parque nacional cuyo centro es el conjunto arqueológico, pero que engloba asimismo 57.600 has. de la selva que lo rodea, tan interesante desde el punto de vista zoológico y botánico como puedan serlo las ruinas para la historia de las civilizaciones humanas.

La fotografía superior izquierda nos muestra la grandiosidad de la Acrópolis, un enorme conjunto palaciego en el núcleo principal de la ciudad. Abajo, algunas de las abundantes estelas situadas en la Plaza Pincipal. Sobre estas líneas, una de las pirámides del centro ceremonial.

Los mayas aprendieron a dominar este mundo hostil en el que la humedad, la vegetación y los insectos parecen devorarlo todo. Precisamente aquí su civilización alcanzó su máximo desarrollo durante el período Clásico, entre el 300 y el 900 después de Cristo. Pero Tikal había nacido mucho antes. Fue uno de los centros en los que despuntó la cultura maya durante el Preclásico, cuando el Petén estaba ocupado por un pueblo en plena evolución desde un modelo de sociedad rural, basado en pequeñas aldeas que practicaban una agricultura elemental, hacia formas urbanas, complejas y jerarquizadas. Hacia el 600 a.C. se han fechado las primeras construcciones en piedra de Tikal: una estructura piramidal con cuatro

escaleras, y una plataforma sobre la que se alzaron algo más tarde los Complejos de Conmemoración Astronómica, tres edificios utilizados como observatorios. Es probable, por tanto, que en tan temprana época estuviese ya implantado entre los mayas el sistema de organización social que les fue característico, con una población muy dispersa y grandes centros ceremoniales sólo habitados por la élite sacerdotal, que llevaba a cabo en ellos sus actividades científicas y religiosas. Ambas facetas estuvieron íntimamente relacionadas en la cultura maya, cuyos orígenes revelan influencias olmecas y teotihuacanas, aunque más tarde supo trazar sus propios rumbos.

LOS SEÑORES DEL CALENDARIO

En el año 292 d.C. fue tallada en Tikal la estela de piedra más antigua que se ha encontrado hasta hoy en una ciudad maya. Corresponde a los albores del período Clásico, cuya primera fase, hasta finales del siglo VI, estuvo marcada en el área maya por la fuerte influencia de Teotihuacán. Activos comerciantes, los teotihuacanos establecieron colonias en diferentes lugares de Mesoamérica, sin que resulte fácil dilucidar si sus relaciones con los habitantes de la zona fueron siempre estrictamente comerciales o rozaron la ocupación militar. Lo que sí parece claro es que Tikal, que para entonces ya se

había destacado como la más pujante de las ciudades del Petén, fue el centro elegido por los teotihuacanos como sede de sus embajadas y delegaciones entre los mayas. Parece plausible, incluso, que fuera la decadencia de Teotihuacán durante el siglo VI el origen de la crisis con que se cierra el Clásico Temprano, época durante la cual los mayas habían desarrollado el calendario, la escritura jeroglífica y las diversas artes –arquitectura, pintura, escultura– que alcanzarían su espléndida madurez en la fase siguiente.

Se inicia ésta ya a finales del siglo VII, después de un largo siglo de oscuridad durante el cual no se talló en Tikal ninguna estela, signo inequívoco de una grave

CALENDARIO MAYA

Los mayas computaban el tiempo según un calendario solar de 20 meses de 18 días, más otro mes de 5 días. Había también otro calendario de uso ritual, formado por años de 260 días a los que se daba un nombre más un número del 1 al 13. Ambos se combinaban en el llamado Calendario Redondo, formado por ciclos de 52 años, tiempo necesario para que coincidieran las respectivas fechas iniciales.

Las fechas se calculaban en relación a un punto inicial de su historia que corresponde al 12 de agosto del 3113 a.C. Las unidades de tiempo eran el kin (día), uinal (20 días), tun (360 días), katun (7.200 días) y baktun (144.000 días), según el sistema vigesimal que rigió la matemática maya.

inestabilidad social en una cultura que hizo de estos monumentos conmemorativos de los hitos de su historia una de sus señas de identidad. Sabemos, por tanto, muy poco de esta época salvo que terminó tan abruptamente como había empezado, dando paso al período Clásico Tardío. Regidas por poderosas monarquías hereditarias, las ciudades mayas se hacen mayores y más numerosas gracias al desarrollo de ingeniosos sistemas de irrigación que permiten incrementar la producción agrícola, y van perdiendo su antiguo carácter de centros ceremoniales para convertirse en verdaderas ciudades.

PIRÁMIDES Y TUMBAS

La práctica totalidad de lo que hoy podemos contemplar en Tikal procede de esta época, en la que llegó a ocupar una superficie de 160 kilómetros cuadrados y albergar 50.000 habitantes. El núcleo principal de la ciudad es una plaza rectangular de 120 por 75 metros, cerrada en sus extremos oriental y occidental por las pirámides I y II, en el septentrional por una plataforma que alberga cuatro pirámides menores, y en el meridional por la

Acrópolis, conjunto palaciego que se asoma por su parte posterior a un terraplén de dos metros y medio. Otras cuatro grandes pirámides, varios grupos de pirámides menores, numerosos juegos de pelota, palacios y estelas conmemorativas constituyen el resto del recinto arqueológico, cuyas diferentes zonas aparecen unidas entre sí por cuatro anchas calzadas empedradas, seguramente con función ceremonial. Las excavaciones han proporcionado una amplia variedad de objetos menores –cerámicas policromadas, tallas en jade, concha u obsidiana–, procedentes en gran parte de tumbas en las que, en ocasiones, también se han encontrado muestras de pinturas murales. Estos hallazgos se exhiben hoy en un museo situado en el propio centro arqueológico.

Aunque la construcción de pirámides es un rasgo común, no sólo a todo el arte maya, sino al de toda Mesoamérica, las de Tikal resultan inconfundibles por su esbeltez, consecuencia de la combinación de una base reducida con una notable altura: 70 metros sobre el suelo alza la pirámide IV, siendo el edificio más elevado de la América precolombina. Una única y vertiginosa escalera sin rellanos conduce a la cima, en la que se sitúa el templo, coronado por una gran cresta de piedra tallada que aumenta aún más la altura del conjunto. El interior de los templos puede constar de una o varias cámaras, siempre de muy reducidas dimensiones, lo que podría muy bien deberse a peculiaridades del ritual, pero también a la necesidad de dotarlos de muros muy gruesos para sostener las pesadas crestas.

Muchos edificios de Tikal estuvieron, originalmente, decorados con dinteles de madera tallada, todos los cuales fueron retirados por las sucesivas expediciones que han visitado las ruinas y se encuentran en diferentes museos de Europa y Estados Unidos. Teniendo en cuenta que tanto estos dinteles como las cresterías talladas, y aun los propios muros de los edificios, estuvieron en su día policromados, cabe imaginar el impresionante aspecto que la ciudad debió presentar en sus tiempos de gloria, allá por los siglos VII y VIII de la era cristiana.

Todo este esplendor se derrumbará, por motivos nunca bien aclarados, pero en los que quizá intervinieron factores externos e internos, en torno al año 900. Tikal será entonces abandonada, al igual que las restantes ciudades del Petén. Cuando la cultura maya resurja, en el período Postclásico, lo hará lejos, en el norte de Yucatán, y con rasgos muy diferentes. Será la época de Chichén Itzá y de Mayapán, de Tulum y de Dzibilchaltún. Tikal no volverá a ser habitada, y su única memoria entre los mayas será hasta hoy una leyenda de fantasmas que según Maler, uno de los últimos exploradores románticos del Yucatán, justifica la traducción de su nombre como "lugar donde se oyen voces", y según la cual los antepasados, vestidos con sus galas antiguas, regresan en las noches de las grandes festividades del calendario maya, recorriendo las ruinas entre largos lamentos por el esplendor perdido.

ANTIGUA GUATEMALA

GUATEMALA

- ❖ **Nombre:** Antigua Guatemala (Guatemala).
- ❖ **Declaración Patrimonio:** 1979.
- ❖ **Situación:** en el valle de Panchoy, unos 45 km al suroeste de la capital, Guatemala; en los 14° 34' de latitud norte y los 90° 40' de longitud oeste.
- ❖ **Extensión:** 49,21 has.

Un exuberante barroco colonial y una arquitectura popular vibrante de color caracterizan esta ciudad detenida en el tiempo, que constituye uno de los conjuntos urbanos más singulares del continente americano. Su ubicación, en una de las zonas de mayor actividad sísmica del planeta, condicionó durante siglos su evolución urbana, y fue la causa de que en 1773 se decidiera trasladarla a un nuevo emplazamiento –la actual Guatemala, capital de la república del mismo nombre–, salvando así de la piqueta lo que quedaba de sus monumentos.

La ciudad que conocemos como Antigua Guatemala, o simplemente Antigua, corresponde a la penúltima de las cuatro fundaciones sucesivas que conoció la capital de la Audiencia de Guatemala. Todas ellas estuvieron situadas en la misma zona: un pequeño valle rodeado de volcanes, de clima paradisíaco, pero sometido a frecuentes movimientos sísmicos.

BAJO EL VOLCÁN

La primera de estas fundaciones tuvo lugar en 1524 y estuvo a cargo de Pedro de Alvarado, lugarteniente de Cortés en la conquista de México, que la dedicó a Santiago. El emplazamiento elegido era el mismo de Iximché, capital de los mayas cakchiqueles, a los que Alvarado había sometido, pero pocos meses

más tarde una sublevación indígena obligaba a los españoles a abandonar la flamante fundación, replegándose de nuevo hacia México. Durante tres años, la capital de la que sería la Audiencia de Guatemala ocupó asentamientos provisionales, primero en Olintepeque y más tarde en Comalapa, hasta que en 1527, ya pacificado el territorio, pudo volver al valle de los volcanes. El 22 de noviembre de ese año,

Santiago fue fundada de nuevo, con toda solemnidad, en un nuevo emplazamiento al pie del volcán de Agua, en el lugar que los indios llamaban Almolonga. Una inundación provocada por la erupción del volcán arrasó en 1541 este segundo enclave, del que sabemos era ya una incipiente ciudad con palacios, templos y conventos. Su reconstrucción fue causa de un nuevo traslado, esta vez al valle de Panchoy, donde, a pesar de los frecuentes terremotos que la asolaron, permaneció durante más de doscientos años.

ANTONELLI, URBANISTA

Sin embargo, los primeros tiempos de esta ciudad destinada a perdurar más que sus predecesoras tuvieron algo de provisional. No hubo grandes construcciones, ni materiales nobles, y sí mucha improvisación. A pesar de ello, Felipe II le concedió en 1556 el título de "Muy Noble y Muy Leal Ciudad de Santiago de los Caballeros", que nunca pasó de los blasones, pues siempre se utilizó el nombre de Guatemala, y más tarde el de Antigua. De esta etapa inicial de su desarrollo, que se prolongó desde 1543, año de su fundación, a 1590, lo único que ha sobrevivido es el trazado urbano, obra genial del ingeniero italiano Juan Bautista Antonelli, que durante muchos años se encargó de proyectar y supervisar las fortificaciones de los puertos españoles en el Caribe. Metido en esta ocasión a urbanista, Antonelli diseñó el que se considera uno de los mejores ejemplos de planificación urbana de la América española, basado tanto en su propia inspiración como en las disposiciones para la fundación de ciudades promulgadas por Felipe II a través de las Leyes de Indias, que recogen las nuevas ideas renacentistas en materia de urbanismo.

A partir de 1590, el panorama urbano de Santiago de Guatemala cambia radicalmente. Surge, por así decirlo, la arquitectura profesional, cuyos autores se advierten instruidos en los grandes tratadistas de la época: Serlio, Vignola o Palladio. Al cabo de un siglo de intensa actividad constructiva, la ciudad era ya una espléndida realidad de piedra, en cuyos monumentos se mezclaban los estilos medievales con las diversas variedades estilísticas del Renacimiento, como el plateresco o el herreriano. A lo largo del siglo XVII se advierte una creciente tendencia al manierismo, precursora de las exuberancias barrocas. Esta transición es patente en el conjunto de la iglesia y hospital de San

JUAN BAUTISTA ANTONELLI

El autor del trazado urbano de Antigua es la figura central de una larga dinastía de técnicos en arquitectura civil y militar. Inició su carrera fortificando Chipre para los venecianos, a raíz de lo cual fue contratado por Felipe II para organizar la defensa de los puertos del Caribe. Tras un accidentado primer viaje a las Indias, sufrió una crisis espiritual y estuvo a punto de ingresar en un convento, pero finalmente siguió trabajando como ingeniero militar hasta que en 1597 cayó enfermo y hubo de regresar a España, dejando a su hijo al frente del plan de fortificaciones del Caribe.

Pedro (1654-1665), cuyas portadas revelan influencias del primer barroco romano. Entre los arquitectos de esta obra encontramos por primera vez el nombre de José de Porres, que años más tarde se convertiría en el principal artífice del barroco antigüeño.

TIEMPO DE TERREMOTOS

Esta primera etapa constructiva se cierra en 1680 con la inauguración de la tercera catedral, cuyas obras se ha-

bían iniciado en 1669 con Martín de Andújar al frente, si bien al poco tiempo se hizo cargo de ellas José de Porres, que conseguía así el definitivo espaldarazo a su carrera. La fachada tiene gruesos muros y escasa altura para amortiguar los impactos sísmicos. Nueve años después de su inauguración, hubo de capear su primer temblor de tierra, del que salió bien librada. Quedó, sin embargo, prácticamente en ruinas a raíz de los terremotos dieciochescos, siendo más tarde reconstruida parcialmente para convertirse en la actual iglesia de San José. Si bien el siglo XVII

Las fotografías nos muestran el detalle de un original balcón en una de las casas de la ciudad; la fachada de la iglesia de San Francisco el Grande, en donde se aprecian las columnas torneadas utilizadas aquí por primera vez y que luego se imitarían por todo el país; el interior de una casa colonial, y una procesión recorriendo las calles adoquinadas de la primitiva capital de Guatemala.

transcurrió en una relativa calma sísmica, en el XVIII pareció que todas las fuerzas del subsuelo se hubieran sublevado a la vez. Desde 1680, fecha de inauguración de la tercera catedral, la ciudad había vivido una época industriosa, presidida por el genio constructivo de José de Porres, designado Arquitecto Mayor en 1687, y más tarde de su hijo Diego, que le sucedió en el cargo en 1703. Los edificios de este período representan el triunfo definitivo del barroco, representado por dos elementos característicos: la columna salomónica y las abigarradas decoraciones de estuco. El barroco antigüeño, no obstante, presenta desde sus orígenes rasgos que lo diferencian de otras variantes del estilo, debido a la necesidad de contrarrestar el efecto de los terremotos. Los muros se construyen enormemente gruesos, se limita al máximo el número de huecos y la altura se reduce. Aunque se utiliza el modelo de portada-retablo característico del barroco colonial, la imposibilidad de un desarrollo en altura, o de flanquearlas por esbeltas torres como en otras regiones, fuerza como solución el extenderlas a toda la fachada, que resulta así más compacta. Como resultado, la mayor parte de los edificios de Antigua presentan un cierto aspecto de fortificaciones.

Los monumentos más característicos de este período son las iglesias de los antiguos conventos de San Francisco y de la Merced. La fachada de San Francisco, contratada ya en 1675 por José Ramón de Autillo, representa la introducción en Guatemala de la columna salomónica. Más notable es la iglesia de la Merced, quizá la más bella de Antigua, con su espléndida portada de tres cuerpos, cubierta de estucos que representan sobre todo motivos vegetales.

DE CIUDAD A PUEBLO

El día de San Miguel de 1717 se produjo el primer gran terremoto de la centuria, que asoló prácticamente el casco urbano, como atestigua el informe redactado por Diego de Porres, a la sazón Arquitecto Mayor de la ciudad. Dada la magnitud de la catástrofe, se consideró la posibilidad de trasladar la capital a un nuevo emplazamiento, aunque finalmente se optó por reconstruirla. La mayor parte de los edificios que hoy pueden

Cruz y la capilla del Calvario, así como el convento de Capuchinas.

Muchos de estos magníficos edificios tuvieron que ser profundamente restaurados tras el gran terremoto de San Casimiro, en 1751; la mayoría quedaron en ruinas a consecuencia del más terrible de todos, el día de Santa Marta de 1773, y esta vez no fueron reconstruidos. En su lugar, se decidió trasladar la Muy Noble y Muy Leal Ciudad de Santiago de los Caballeros al llamado Llano de la Virgen, situado a 45 kilómetros, dejando tras sí un montón de ruinas grandiosas y un puñado de casas bajas de indios, los únicos que no la abandonaron. Durante la segunda mitad del siglo XIX, no obstante, la ciudad conoció un nuevo auge gracias al cultivo de la cochinilla y del café, lo que permitió iniciar la restauración, siquiera parcial, de algunos edificios. La que había sido orgullosa capital y después pueblo semiabandonado alcanzó así un equilibrio que aún conserva: se convirtió en una tranquila urbe provinciana, que hoy debe su prosperidad al turismo. Gracias a él se ha mantenido viva, mimando sus casas de trazo limpio y colores calientes –nunca muy altas: los terremotos no han cesado– a la sombra de sus ruinas espléndidas.

verse en Antigua son el resultado de esta reconstrucción, que dio a la ciudad su momento de máximo esplendor artístico, desarrollando un estilo propio, el barroco antigüeño, cuya influencia se dejaría sentir por toda Centroamérica. Junto a Diego de Porres, el gran arquitecto del momento es el mestizo José Manuel Ramírez, a quien se deben las iglesias de San José el Viejo y Santa Rosa y, sobre todo, la Universidad de San Carlos, quizá el monumento mejor conservado de Antigua, gracias a su escasa altura y al grosor de sus muros y pilares. Constituye el centro del sector universitario, que incluye diversos colegios mayores y menores, como el Tridentino o el de Santo Tomás.

Aunque no faltan en Antigua otros notables edificios civiles de esta época, singularmente el Ayuntamiento, en el que se advierte la mano de Diego de Porres, o el gran Palacio de los Capitanes Generales, lo mejor del barroco antigüeño quedó plasmado en iglesias y conventos. Cabe destacar las iglesias del Carmen, de Santa Clara, decorada con las llamadas "pilastras serlianas", de la Santa

PARQUE ARQUEOLÓGICO Y RUINAS DE QUIRIGUÁ

GUATEMALA

* **Nombre:** Parque arqueológico y ruinas de Quiriguá (Guatemala).
* **Declaración Patrimonio:** 1981.
* **Situación:** departamento de Izábal, cerca de la frontera con Honduras; en los 15° 18' de latitud norte y los 89° 7' de longitud oeste.
* **Extensión:** 34 has (aproximadamente).

abitada desde el siglo II d. C., Quiriguá fue una antigua capital maya. Entre sus fabulosos monumentos del siglo VIII que se conservan, destacan las estelas esculpidas, de un enorme valor artístico, consideradas fundamentales para el conocimiento de la historia de la civilización maya, y sus esculturas zoomorfas, para muchos arqueólogos la culminación del arte maya y la expresión más lograda, críptica e imaginativa de la América precolombina.

Quiriguá fue una antigua capital maya que se desarrolló en la segunda mitad del período Clásico, de los siglos VI al IX d. C., aunque su poblamiento se remonte al siglo II. La calidad artística de sus esculturas adquiere categoría de universal. Trece grandes estelas, la mayor de 10,7 metros, y doce representaciones antropomórficas ejecutadas en arenisca, sin ningún instru-

mento metálico, son extraordinarias manifestaciones del desarrollo estético de la civilización maya durante el período Clásico. Su escuela escultórica, cuyas primeras muestras se remontan al año 250, tiene semejanzas con las de la región de Copán (Honduras) y de Belice. Las inscripciones jeroglíficas que contienen gran parte de las piezas de Quiriguá, referidas a acontecimientos de carácter social, político e

histórico, han permitido –pese a que algunas estén todavía indescifradas– reconstruir en gran medida la historia de la civilización maya.

En la actualidad, Quiriguá es un parque arqueológico abierto al público, en el que un museo muestra los fondos procedentes de las excavaciones del parque. Los más que posibles movimientos sísmicos en la región y el clima tropical, húme-

do y altamente erosivo, constituyen las
amenazas más poderosas que se ciernen
sobre Quiriguá.

PIEDRAS EN LAS AZADAS

El descubrimiento de las ruinas se
debe una vez más al azar. Los hermanos Payés en 1840 se empeñaron en
plantar bananas y café en sus tierras tras
desbrozar la selva, desoyendo todos los
consejos al respecto. Las cuadrillas se
quejaban de que al cavar tropezaban continuamente con piedras de formas demasiado regulares para ser naturales. En el
transcurso de las infructuosas siembras,
salieron a la luz dos magníficas estelas
conmemorativas, que luego se verían re-
producidas en un libro de viajes muy famoso en su época: *Incident of travel*, de
John L. Stephens. Sin embargo, la ausencia de ruinas de grandes edificios –las
existentes se hallaron en pésimo estado–
hizo que no se prestara mayor atención a
Quiriguá hasta 1910, año en que comenzó la excavación sistemática.

Quiriguá, que conoce su máximo
apogeo en el siglo VIII, fue fundada en el
año 650 según las dataciones de las este-

las encontradas y es opinión prácticamente unánime que fue una ciudad dependiente de Copán. Su trazado se repite sistemáticamente por barrios: un grupo de casas en torno a una espaciosa plaza con edificios mayores que las viviendas y, alrededor de este centro cívico y religioso, altares y grandes estelas labradas, cada una de ellas en conmemoración de un lustro de paz.

Quiriguá conoció al menos tres etapas y tres sucesivos lugares de asentamiento. El más remoto se encontró sobre una colina alejada del núcleo principal de ruinas: sus restos son anteriores a los hallados en la planicie, aunque las inscripciones de sus monumentos no han podido descifrarse aún. En un segundo período, la población bajó a los llanos, donde salió a la luz un gran centro ceremonial rodeado de los montículos que cubren los edificios que circundaban esta plaza. Por último, a más de 2 kilómetros, más cerca del río Motagua, se desarrolló la ciudad hasta su brusco y enigmático abandono.

FECHAS PARA LA ETERNIDAD

Los verdaderos hitos cronológicos de Quiriguá y de toda la civilización maya se marcan en las estelas conmemorativas. Las estelas son enormes bloques de piedra erigidos verticalmente en una de cuyas caras se representa una figura humana siempre tocada con vestimentas y adornos suntuosos, de porte distinguido y en actitud hierática, mientras que la otra se cubre centímetro a centímetro de inscripciones jeroglíficas y relieves o por otra figura humana. En todas ellas se resalta el año de su instalación según el peculiar calendario maya. Hasta la fecha se han descubierto trece estelas en Quiriguá.

Su complejidad y tamaño crecen según avanza la civilización. Así, mientras la estela llamada U encontrada en la colina apenas llega a los 2 metros de altura, la estela E de la tercera etapa, ya en el llano, tiene 8 metros, a los que hay que añadir 2,70 metros si se cuenta la zona enterrada en el suelo para mantenerla erecta.

La ciudad de Quiriguá, habitada desde el siglo II, conserva admirables monumentos del siglo VIII y una serie impresionante de estelas y calendarios que han contribuido a un mejor conocimiento de la civilización maya. Arriba, uno de los muchos altares de la ciudad y la estela "K". A la derecha, el zoomorfo "P". En la página anterior, el denominado Templo V.

Este conjunto arqueológico se denomina Llano de las Estelas por la concentración de ellas que aquí se encuentra. Se localizan en Quiriguá doce esculturas zoomórficas y trece grandes estelas, la mayor de ellas supera los diez metros de altura. Estas monumentales esculturas trabajadas sobre arenisca sin ayuda de instrumentos metálicos, constituyen un extraordinario ejemplo del desarrollo de la estética y de la habilidad artística del pueblo maya.

Según esta teoría, la estela E pudo plantear un reto importante a los habitantes de Quiriguá: ¿cómo hacer mayor la estela conmemorativa del siguiente quinquenio? Los investigadores creen que los quiriguanos optaron por erigir dos coetáneas diferentes alrededor del año 776, que serían las estelas C y A. Pero surge un problema. Mientras los personajes empenachados de la A tienen garras en vez de pies y manos en clara alusión al dios Jaguar, culto prehistórico maya, los de la estela C están cubiertos de inscripciones de carácter astronómico. Una hipótesis mantiene que los sacerdotes, en busca de coincidencias numéricas consideradas de buen agüero e influenciados por los avances científicos realizados en Copán levantaron la C; pero el pueblo se mantuvo apegado a la divinidad del Jaguar y levantó la A, originándose el consiguiente cisma. Independientemente de estas hipótesis, no se ha hallado ninguna otra estela posterior a éstas del 776, salvo las llamadas I y K, de comienzos del siglo IX.

BESTIARIO DE FANTASÍA

Hay que recordar que los mayas celebraban el término de los lustros. Sin embargo, a partir del año 776 empezaron a esculpirse en Quiriguá los llamados zoomorfos, en vez de las estelas conmemorativas, donde los escultores dieron rienda suelta a su fascinante imaginación. De esta manera, siempre según la hipótesis de un cisma en Quiriguá a fines del siglo VIII, se evitó el conflicto fruto de posturas enfrentadas que se expresaban precisamente mediante las estelas. Para algunos arqueólogos los zoomorfos de Quiriguá no son solamente la expresión más acabada del genio maya, sino las

Las estelas de Quiriguá (abajo) representan una gigantesca figura humana en actitud hierática. Son siempre varones, tocados con vistosos penachos de plumas. Las caras posteriores de las estelas aparecen cubiertas de inscripciones y jeroglíficos, algunos de ellos todavía sin descifrar. A la derecha, detalle de los peldaños de una de las escaleras de la ciudad.

obras maestras más valiosas de toda la América precolombina.

En estos ciclópeos bloques de piedras se reproducen animales inexistentes en la naturaleza, nacidos de la imaginación del escultor, que mezcla plumas, picos, garras, ojos y uñas de animales diferentes. Los más mínimos instersticios son ocupados por un glifo, de donde resulta un acabado total y absolutamente esculpido. El zoomorfo más antiguo es el B, que recuerda a una gran tortuga de cuyas fauces surge un torso humano con un rostro muy bello. Además, este zoomorfo es el más complejo y más profusamente labrado, cuyo texto se considera el más críptico e indescifrable. Sin embargo, el más bello de todos los existentes en Quiriguá es el P, un monstruo de dos cabezas de casi 3 metros de largo por 3,5 de ancho, de una exuberancia decorativa inigualable en la que se retuercen crestas, escamas y alas alrededor de una gran máscara geométrica a un lado y un personaje empenachado al otro. Los zoomorfos de Quiriguá son probablemente una de las expresiones más logradas del arte maya, donde el anónimo artista imprimió en piedra un lenguaje y una abstracción rayana en las cotas más altas de la imaginación humana.

RESERVA DE LA BIOSFERA DE RÍO PLÁTANO

HONDURAS

La Reserva de la Biosfera de Río Plátano tiene una extensión de 350.000 hectáreas protegidas, a las que hay que añadir otras 150.000 consideradas como zona tampón que sirven para amortiguar el impacto humano sobre la reserva forestal virgen más importante de Honduras. La presencia de indios misquitos e indios payas, junto con abundantes restos arqueológicos justifican su inclusión en la Lista del Patrimonio.

LA CUENCA DEL RÍO PLÁTANO

La reserva de la biosfera comprende esencialmente la cuenca del río Plátano que drena una superficie de unos 1.300 km². La zona de protección que la rodea está formada al noroeste por la cuenca del río Panluya, al sur-suroeste por la cuenca del río Lagarto, al sureste por el río Sicre y al norte por el litoral caribeño.

En esta zona de difícil acceso subsisten en estado virgen amplias extensiones de bosque tropical húmedo que albergan una rica y variada fauna. Además, en su límite noroeste y noreste comprende dos impor-tantes masas de agua: la laguna de Ébano o Ibans y la laguna de Brus o Cortina.

Paisajísticamente la cuenca del río Plátano se presenta como un escenario de montañas y colinas que descienden hasta la costa del mar Caribe. Sus máximas altitudes las constituyen el monte Punta Pie-dra con 1.326 metros sobre el nivel del mar, el monte Mirador con 1.200 metros, el monte Baltimore con 1.083 metros y el monte Antípole con 1.075 metros. En su parte más elevada el río debe salvar fuer-tes desniveles, desplomándose en nume-rosas cascadas, algunas de las cuales tie-nen casi cien metros de caída, como la denominada "Subteranio", la más popu-lar de las cascadas, que se localiza en las cercanías del pico de la Dama, un impo-nente promontorio rocoso.

Con unas precipitaciones anuales en-tre los 2.000 y los 2.500 mm y con tempe-raturas medias en torno a los 26° C, estas montañas poseen dos tipos principales de formaciones vegetales: la selva tropical húmeda y la selva subtropical muy húme-da. Ambas, en estado prácticamene vir-gen, son enormemente representativas de unos ecosistemas que se encuentran seriamente amenazados de desaparecer en toda la América Central.

DEL MANGLAR A
LA SELVA HÚMEDA TROPICAL

La riqueza botánica de la reserva de biosfera se manifiesta en sus seis principales ecosistemas. La zona costera hasta la desembocadura del río Plátano y las proximidades de la laguna de Brus es el dominio de los estuarios y de los manglares. Estas áreas sometidas a la acción continua de las mareas presentan una notable diversidad biológica. Entre las zancudas raíces de los mangles millones y millones de seres vivos constituyen el primer eslabón de las cadenas tróficas.

El ecosistema lacustre está formado por una serie de lagunas situadas en la llanura costera. Las más grandes son las ya mencionadas laguna de Brus y laguna de Ibans. Algunos manglares se instalan en sus orillas y no faltan las vistosas palmera de cocos *(Cocos nucifera)*.

La sabana y la llanura costera constituyen el tercer ecosistema de la reserva de biosfera. Esta llanura, que se eleva entre 1 y 5 metros sobre el nivel del mar, tiene un relieve plano y sus suelos son pobres e impermeables. La vegetación está principalmente formada por gramíneas que pueden alcanzar considerables alturas, salpicadas por bosquetes de pino caribeño *(Pinus caribea)* y de palma yagua *(Paurotis* sp.*)*.

En las orillas del río Plátano y de su red de afluentes se sitúa el bosque de galería, un bosque secundario que aparece en diferentes estadios de sucesión. La presencia continua de agua permite el desarrollo de una gran cantidad de especies forestales en esta masa forestal, siendo las más abundantes la guana *(Inga* sp.*)*, el guazumo *(Cecropia* sp.*)*, el platanillo *(Heliconia* sp.*)* y el zapotín *(Pachira acuatica)*.

Antiguas tierras agrícolas abandonadas hace muchos años a ambas orillas del río Plátano se encuentran hoy ocupadas

por un bosque secundario degradado que forma el quinto ecosistema de la reserva de biosfera. La guana *(Inga* sp.), la ceiba *(Ceiba pentandra)* y el *Salix humboltiane* son especies habituales de este bosque secundario.

Por último, y ocupando la mayor parte de esta superficie protegida está la selva-clímax, la selva húmeda tropical que desarrolla tanto en zonas de baja como de mediana altitud una exuberante riqueza vegetal. Centenares de especies parásitas y epífitas pertenecientes en su mayoría a las familias de las Bromeliáceas y de las Orquidáceas aparecen por doquier, aumentando la aparente confusión y proporcionando una nota de color con sus llamativas flores. Más de 300 especies de angiospermas han sido descritas en la reserva y entre los árboles dominantes hay que citar a cuatro: *Carapa guianensis, Swietenia macrophylla, Pterocarpus* sp. y *Cedrela odorata.*

EN LA LISTA ROJA

Los diferentes ecosistemas de esta reserva hondureña constituyen el hábitat de numerosas especies animales incluidas en la lista de animales en peligro de extinción que confeccionan los científicos de la U.I.C.N. (Unión Internacional para la Conservación de la Naturaleza y de los Recursos Naturales).

Así, de las 196 especies de anfibios y reptiles censados en Honduras, un 95% de ellas se encuentran representadas en la reserva de Río Plátano y en su zona de protección. Aunque el estudio ornitológico de la región no está todavía concluido, sí se conocen viviendo aquí poblaciones estables de aves seriamente amenazadas de desaparecer como la majestuosa águila arpía *(Harpia harpija)* y los llamativos ara rojo *(Ara macao)* y ara verde *(Ara ambigua).*

La zona costera de Río Plátano (arriba) es el dominio de los manglares y de los estuarios. Estas áreas sometidas a la acción continua de las mareas se caracterizan por su notable diversidad biológica. A la izquierda, el cocodrilo y el águila arpía, dos especies amenazadas de desaparición en el conjunto del continente pero que, sin embargo, cuentan aquí con poblaciones estables. En la página anterior, una vista aérea del río Plátano cruzando la reserva de la biosfera.

Las selvas vírgenes de Río Plátano albergan mamíferos que han desaparecido de gran parte del istmo centroamericano, entre los que destacan depredadores como el jaguar *(Felis onca)*, el puma *(Felis concolor)*, el margay *(Felis wiedii)* y la onza *(Felis yagouaroundi)*. También está presente una población importante del solitario tapir *(Tapirus bairdii)*.

Los estudios zoológicos de esta extensa mancha forestal están en sus comienzos y con toda seguridad en los próximos años nuevas especies de invertebrados y vertebrados aumenten el ya amplio censo de esta reserva.

PASADO Y PRESENTE

Son numerosos los vestigios de la presencia del hombre hace miles de años en estas hectáreas protegidas. Concretamente en el valle del río Plátano, en el lugar denominado "Piedras Pintadas" se han localizado abundantes petroglifos y piedras de molino decoradas con animales grabados.

Pero el descubrimiento arqueológico más importante de la reserva de biosfera es la "Ciudad Blanca", una ciudad desaparecida no se sabe cuándo y cuyas ruinas igualan en riqueza a las de la ciudad maya de Copán. Esta ciudad se ha convertido en el testimonio de una civilización precolombina todavía desconocida.

La reserva acoge actualmente pequeñas poblaciones de indios misquitos e indios payas, estos últimos en franca regresión, cuyo conjunto no supera los

La Reserva de la Biosfera de Río Plátano, formada básicamente por la cuenca del Río Plátano (abajo), constituye uno de los últimos vestigios del bosque tropical húmedo de América Central. A la izquierda, el escaso guacamayo rojo y el ágil e inquieto mono araña o colorado.

2.000 habitantes. Aunque dos poblados se localizan a 30 kilómetros del mar, la mayoría de estos emplazamientos indígenas se sitúan en el litoral costero. Los principales enclaves son Cocobila, Barra Plátano, las Marías y Baltituk, en los que se mezclan etimologías hispanas y precolombinas.

El maridaje de estos indígenas con su entorno natural es modélico y podría servir de ejemplo sobre el equilibrio que siempre deben guardar el hombre y la naturaleza que le rodea. Su agricultura es incipiente, y la caza y la pesca la practican sólo en función de su subsistencia, por lo que el impacto medioambiental que producen sobre estas hectáreas vírgenes es prácticamente nulo.

Existe una ley no escrita por la que los indígenas disponen de parcelas para sus cultivos y para sus casas, de las que conservan la propiedad mientras dura su ocupación. Es decir, se consideran propietarios del terreno en cuanto lo cultivan y viven allí, pero saben que si lo abandonan renuncian automáticamente a dichas parcelas y a su posterior reclamación. Pero si, por el contrario, un propietario se traslada a otro lugar y deja tras de sí signos de ocupación, el resto de los indígenas reconocerán y respetarán siempre dicha propiedad.

Este rico patrimonio etnológico y cultural, unido a sus importantes selvas tropicales húmedas y a la rica y variada fauna y flora que albergan, hacen de la Reserva de Biosfera de Río Plátano uno de los lugares naturales y culturales más interesantes de toda Centroamérica.

Ruinas mayas de Copán

Honduras

❖ **Nombre:** Ruinas mayas de Copán (Honduras).

❖ **Declaración Patrimonio:** 1980.

❖ **Situación:** departamento de Copán, en el extremo oeste del país, junto a la frontera con Guatemala; en los 14° 50' de latitud norte y los 89° 10' de longitud oeste.

❖ **Extensión:** 30 has.

 opán fue una importante ciudad maya y un centro religioso de gran relieve, además de ser utilizada como observatorio astronómico. Puede decirse que Copán es uno de los centros científicos del período maya Clásico, que vivió su máximo apogeo durante el siglo VIII después de Cristo.

Situada en el extremo oeste de Honduras y descubierta en 1570, entre las ruinas de su acrópolis y sus plazas monumentales se encuentra el mayor número conocido de jeroglíficos mayas. Copán alberga además un conjunto de esculturas y relieves de una calidad sobresaliente.

Tras vivir un apogeo esplendoroso entre los siglos III y X d. C., a partir del año 900 y hasta 1500 Copán es abandonada paulatinamente. El español Diego García de Palacio descubre el lugar en 1570 y escribe, impresionado, una extensa relación de sus maravillas. Pero es John Lloyd Stephens quien inicia los estudios arqueológicos entre 1839 y 1841. Casi fronteriza con Guatemala, Copán fue declarada parque arqueológico en 1845 y, después, fue objeto de diversas restauraciones.

Copán, a lo largo de su historia, es ocupada por varias comunidades sucesivas que no dejan prácticamente ningún resto. Durante el período Clásico, que va de los siglos III al X d. C., aparecen en escena los nuevos estadios de la civilización maya. Se construyen templos y terrazas en combinación con grandes plazas enriquecidas con estelas y altares, se crean nuevos estilos de cerámica y se desarrolla la escritura jeroglí-

fica y otras innovaciones. Entonces se levantan en Guatemala ciudades como Tikal y Quiriguá.

TEMPLOS EN LA SELVA

El conjunto de la Acrópolis se sitúa sobre una terraza de 5 hectáreas de unos 35 metros de altura profundamente entallada por el río Copán. En un momento indeterminado entre los años 900 y 1500, este curso se desvió de su cauce y empezó a socavar la base de la Acrópolis, formando así un barranco. Los mayas ya habían presentido tal posibilidad y por este motivo levantaron un muro de contención con piedra y arcilla, que se demostró insuficiente. Durante las excavaciones de los años 40 se devolvió el río a su cauce original; pero nuevas amenazas de desbordamiento hicieron levantar, con asistencia técnica de la Unesco, una pared de piedra en 1973, que hasta ahora cumple su papel a la perfección.

Entre las terrazas, pirámides y templos de diferentes épocas de Copán tienen fama los denominados de manera tan aséptica –pero tan usual en el ámbito arqueológico– como el 26, el 11 y el 22.

La ciudad maya de Copán, descubierta en 1570 por el español Diego García de Palacio, fue rescatada de la selva a partir del año 1839 por el arqueólogo John Lloyd Stephens. La perfección de sus construcciones, como por ejemplo sus graderíos (arriba), y lo artístico de sus esculturas (izquierda) convierten a Copán en uno de los principales lugares de la civilización maya. En la página anterior, uno de los altares de la explanada de las ceremonias.

de la cual se penetraba en las cámaras interiores. Antiguamente, la luz filtrada por el zaguán resaltaba la fantasmagórica decoración de la puerta con la representación del dios de la muerte. Las paredes de las estancias, hoy desnudas, bien pudieron haber estado decoradas con frescos. Algunos científicos opinan que el templo 22 era el lugar más santo de Copán y el más exclusivamente reservado a los sacerdotes.

JEROGLÍFICOS Y JAGUARES

Junto a la explanada Central –que carece de edificios– se encuentra la llamada de las Ceremonias: un estadio de 75 m², tres de cuyos lados poseen graderíos escalonados y el cuarto da acceso a la colina 4 al sur. En este llano se localizan

De este último, el templo 22, prestigiosos investigadores han llegado a escribir que es el "más bello y más decorado de los edificios de Copán, por no decir de toda el área maya". De forma alargada y rectangular, está dividido en dos salas de 30 m². Su elemento más excepcional es la puerta situada tras la de acceso a través

nueve monolitos ricamente esculpidos y diversos altares también con un gran trabajo artístico.

La explanada de la Escalera de los Jeroglíficos, por su parte, es una de las mayores obras del arte maya. Tal y como su nombre indica, en la plaza se levanta una escalera de 10 metros de anchura con 62 peldaños que en su origen daba acceso a un santuario sobre su cumbre del que se conservan valiosos relieves. La escalera tiene casi 2.000 glifos esculpidos: la mayor inscripción de la civilización maya que se conoce. Probablemente esta sucesión de jeroglíficos nunca se pueda descifrar, ya que no han llegado a nuestros días en su orden original excepto los de los 16 primeros escalones, al haberse desprendido y caído al suelo los de los peldaños superiores.

Situada casi en la frontera con Guatemala, Copán vivió una época de esplendor entre los siglos III y X de la era cristiana, para, a partir del año 900 ser abandonada paulatinamente. Arriba, una vista del conjunto de yacimientos arqueológicos y a la derecha una muestra de la perfección y calidad de las esculturas talladas sobre la piedra, cuya expresividad no ha podido ser encontrada en otros lugares arqueológicos del continente americano.

Realzaban más todavía la majestuosidad de la escalinata las estatuas antropomórficas que se levantaban cada 12 peldaños con gran profusión de adornos tallados. Sentadas sobre un pedestal en actitud hierática, dichas figuras parecían esperar impasibles el ascenso del visitante. No todas se han conservado en su

LA ESCRITURA MAYA

Uno de los rasgos más notables de la cultura maya fue la invención de una escritura jeroglífica, formada por signos principales y otros secundarios, que varían el significado de los primeros. Se representaban generalmente inscritos en un espacio cuadrangular, con las esquinas redondeadas. Muestras de esta escritura aparecen pintadas en muros, vasijas de cerámica o códices de pasta de maguey, pero sobre todo talladas en la piedra de edificios y estelas. Esta última variante tiene en Copán su centro principal, tanto por la cantidad como por la calidad de los jeroglíficos encontrados. Hasta hoy, la escritura maya permanece indescifrada, aunque las escuetas indicaciones del obispo Diego de Landa en su Relación de las cosas del Yucatán han permitido a los investigadores disponer de una base a partir de la cual interpretar una parte de los signos, referidos a fechas y nombres propios.

El conjunto de estelas de Copán, del que observamos tres detalles, nos habla de unos anónimos artesanos autores de estas piezas artísticas insuperables que nos muestran unas figuras minuciosamente trabajadas y llenas de fuerza y originalidad. A la derecha, arriba, uno de los templos del sitio maya.

emplazamiento original y algunas están muy deterioradas; pero los ricos adornos demuestran la maestría de los artistas que trabajaban en Copán.

Por otro lado, en la explanada Oriental se levanta la Escalera de los Jaguares, cuyas estatuas tuvieron en su momento incrustaciones de obsidiana negra para imitar el pelaje de estos felinos. En la Occidental se encuentran, entre otras obras arquitectónicas, la Tribuna, la estela P, y el altar Q. La más considerada de estas obras es la citada Tribuna, un edificio a modo de mirador para representaciones y juegos públicos, dotado de gradas y presidido por una escultura de un dios festivo maya.

ESTELAS Y ALTARES

Tan importante es Copán por sus restos arquitectónicos, como por la variedad, perfección y calidad de sus esculturas, cuya expresividad significa la culminación del refinamiento de la cultura maya. La riqueza de los gestos de algunos de los rostros esculpidos junto a la

majestad hierática de otras representaciones y la minuciosidad en cada detalle son cualidades que demuestran la maestría de los escultores de Copán.

García de Palacio no exageraba en su relación al monarca español en cuanto a la riqueza escultórica de Copán. Los individuos de la estelas copanecas siempre se representan empenachados; les cuelga de la cintura un mandil y una bolsa, como las utilizadas por los adivinos para guardar el maíz necesario en sus ritos de augurios. En las manos, estos nobles señores sostienen una caja o una barra cuyo significado se ignora. Visten dos atuendos diferentes, debido probablemente a que representan rangos distintos. La rica ornamentación, las suntuosas vestimentas y la solemnidad serena de sus expresiones denotan que estas figuras encarnan a personajes del máximo rango, bien religioso o militar, si no a divinidades objeto de culto, hipótesis también probable dada su situación frente a altares.

Estas estelas a veces tienen el reverso cubierto de relieves y signos jeroglíficos; en otras ocasiones el dorso es otra figura que, sin embargo, no guarda relación con

Esta ciudad de piedra fue el gran centro de investigación y experimentación de los estudiosos del pueblo maya, donde se elaboró y perfeccionó su famoso calendario y en el que se concentraban sus máximos especialistas en cálculo astronómico. Allí, debido a su estratégica situación instalaron sus más importantes observatorios junto a sus templos y estelas.

la otra cara. Así, por ejemplo, mientras un frente de la estela C reproduce a un hombre lampiño y joven, en el otro de la misma estela se representa a un anciano con largas barbas. Su relación aún es un enigma. Sin embargo, todas las estelas tienen algo en común: su datación.

Por su parte, los altares de Copán forman una unidad con las estelas a las que se enfrentan. Prueba de esta teoría no es sólo su ubicación encarados unos a otras, sino que con frecuencia las inscripciones comenzadas en una estela concluyen en su correspondiente altar. Relieves y jeroglíficos cubren gran parte de su superficie. De entre todas, la más famosa ara de Copán es la citada Q, en la explanada Occidental. En uno de sus relieves, cuatro individuos de porte aristocrático conversan sentados; los científicos han llamado al grupo el Congreso de Astrónomos.

Hoy, las estelas se han recolocado en su posición inicial, y multitud de edificios, altares y relieves han sido restaurados con el fin de preservar uno de los principales emplazamientos artísticos mayas y probablemente el centro del mayor saber astronómico de esa civilización.

Cordillera de Talamanca-La Amistad

Costa Rica-Panamá

- ❖ **Nombre:** Reservas de la Cordillera de Talamanca-La Amistad (Costa Rica-Panamá).
- ❖ **Declaración Patrimonio:** 1990.
- ❖ **Situación:** en el centro-sur del país, continuándose en Panamá; entre los 8° 43' y los 10° de latitud norte y entre los 82° 43' y los 83° 44' de longitud oeste.
- ❖ **Extensión:** 500.000 has (aprox.).

Esta singular columna vertebral que recorre el centro de Costa Rica es el único lugar de América Central en el que las glaciaciones del Cuaternario han dejado huellas evidentes. Su estratégica situación geográfica ha permitido que en ella tenga lugar un intercambio genético entre la fauna y flora de América del Norte y América del Sur. Aquí, más de 20.000 indígenas de cuatro tribus diferentes se concentran en ocho reservas indias.

El techo de Costa Rica

En la cordillera de Talamanca-La Amistad, a lo largo de los últimos años, se han establecido un conjunto de parques nacionales, reservas biológicas y reservas indígenas, junto con una zona de protección forestal, la de Las Tablas, cuyo conjunto se extiende sobre una superficie aproximada de medio millón de hectáreas.

El área declarada Patrimonio de la Humanidad va desde el nivel del mar, a lo largo del río Sixaola en la reserva indígena de Talamanca, hasta los 3.820 metros del pico Chirripó, situado en el parque del mismo nombre, máxima altura no sólo de Costa Rica sino también de toda la América Central meridional. Estas diferencias altitudinales, junto con las de las temperaturas medias que oscilan desde

los 25° C a la altura del mar hasta los 8° C bajo cero de las cotas más elevadas, permiten la existencia de una variedad de ecosistemas que encierran numerosas especies animales y vegetales plagadas de endemismos. Así por ejemplo, sin hablar de los invertebrados cuya proporción de endemismos es muy superior a la de los vertebrados, ya se han censado en el área 13 especies de mamíferos endémicos, 15 especies de aves endémicas y 10 de reptiles y anfibios también endémicos.

CHIRRIPÓ-LA AMISTAD

Además de las siete reservas indias de la zona de protección forestal Las Tablas y de las dos reservas biológicas de Hitoy-Cerere y de la Barbilla, la mayor superficie de este sitio del Patrimonio Mundial la forman los parques nacionales de Chirripó y de La Amistad, dos áreas silvestres contiguas de más de 240.000 hectáreas, situadas en la parte media y superior de la cordillera de Talamanca. Comprenden la región de mayor diversidad biológica del país y constituyen el bosque natural virgen más grande de Costa Rica.

La cordillera Talamanca-La Amistad abarca un conjunto de parques nacionales, reservas biológicas y reservas indígenas con una superficie aproximada al medio millón de hectáreas. A la izquierda, una cascada en el Parque Nacional Hitoy-Cerere y un ejemplar de mono carablanca. A la derecha, la laguna Dikevi en el Parque Nacional Chirripó y una vista del Parque Nacional La Amistad. En la página anterior, el denso bosque tropical.

Páramos, ciénagas, robledales, madroñales, helechales y bosques mixtos nubosos se suceden a diferentes niveles altitudinales y se entremezclan con las únicas manifestaciones glaciares que hoy pueden observarse en América Central consistentes en pequeños valles glaciares en forma de U, morrenas terminales, lagos y conos glaciares que se conservan desde que tuvo lugar la última glaciación hace unos 25.000 a 30.000 años.

Esta diversidad de hábitats permite albergar una interesantísima y abundante fauna. Se estima que ambos parques incluyen más del 60% de todos los vertebrados e invertebrados de Costa Rica. Hasta la fecha se han censado más de 250 especies de anfibios y reptiles y más de 560 de aves, entre las que no falta la denominada por su belleza el fénix de los bosques, el espectacular quetzal *(Pharomachrus mocinno)*. Entre los mamíferos hay que destacar que aquí se localiza la población más importante de toda Costa Rica del amenazado tapir *(Tapirus bairdii)* y no faltan los grandes carnívoros como el puma *(Felis concolor)* y el jaguar *(Felis onca)*.

UNA REGIÓN NATURAL EXCEPCIONAL

El conjunto de reservas naturales de la cordillera Talamanca-La Amistad es el único lugar de toda América Central en el que las glaciaciones del Cuaternario han dejado su huella indeleble. En las montañas más altas del Parque Nacional Chirripó los glaciares han moldeado circos, lagos y profundos valles que no se encuentran en ningún otro lugar a miles de kilómetros de distancia.

Constituyen también un ejemplo excepcional de una evolución biológica continuada. Las grandes diferencias altitudinales, unidas a los cambios bruscos de temperatura y pluviosidad a la que están asociadas, en conjunción con su

El área protegida alberga importantes poblaciones de especies amenazadas de extinción en el resto del continente, como sucede con el ubiquista puma, presente en el área protegida. Abajo, un poblado bribri en una de las reservas indígenas y el lugar conocido como Los Crestones en el Parque Nacional Chirripó.

estratégica situación geográfica, ya que es un puente terrestre que ha permitido el intercambio genético de la fauna y de la flora de América del Norte y de América del Sur, han convertido a estas reservas de la cordillera de Talamanca en una de las regiones más ricas en asociaciones vegetales y animales de todo el continente americano.

Dentro de la zona protegida existen singularidades que convierten en excepcionales estas hectáreas. Así, en esta cordillera costarricense se encuentra el único "páramo" y las únicas turberas de altura que pueden hoy encontrarse en toda la América Tropical septentrional. Las reservas comprenden también, claramente diferenciados, ocho biomas, cantidad que no alcanza ningún parque nacional, reserva o conjunto de zonas naturales protegidas en toda la América Central.

Además de englobar la máxima altura, en el pico Chirripó, de toda la América Central meridional, el área Talamanca-La Amistad posee las mayores caídas de agua de la región, y es el único conjunto de reservas en América Central que incluye las cinco zonas altitudinales encontradas en los trópicos.

Por último, el área declarada Patrimonio de la Humanidad alberga hábitats en los que sobreviven especies vegetales o

animales raras o amenazadas, como son todos los felinos presentes en América Central, el tapir y el quetzal, por citar sólo algunas especies. Es también destacable el alto grado de endemismo que se observa en las poblaciones animales. Así, existe un endemismo sobre 115 especies de peces, 10 especies endémicas de reptiles y anfibios sobre 250, 13 endemismos de mamíferos sobre 215 censados y 15 aves endémicas sobre 560 descritas. El número de endemismos vegetales con relación a las especies catalogadas es extraordinario, hasta el punto de que esta proporción puede considerarse como una de las más importantes del mundo.

LAS RESERVAS INDÍGENAS

Desde diez mil años antes de Jesucristo el hombre ha dejado la huella de su presencia en estas áreas montañosas, como lo confirman los numerosos restos arqueológicos encontrados en la región. Un gran número de tumbas, petroglifos y columnas de piedra han sido ya descubiertos por los científicos, pero las selvas de la cordillera de Talamanca,

apenas saqueadas por el hombre, guardan todavía en su interior muchas sorpresas para nuesta civilización. Lo que sí se conoce es que las culturas sedentarias relativamente importantes comenzaron a instalarse en esta región montañosa después del año 500 antes de J.C.

En la época de la conquista española, un cierto número de tribus indias habitaban la cordillera de Talamanca. Las guerras y las enfermedades traídas por los

La estratégica situación geográfica de la cordillera ha permitido un intercambio genético entre la fauna y flora de América del Norte y América del Sur. Las fotografías nos muestran unos detalles de la riqueza forestal y botánica de este enclave centroamericano junto a dos especies de vertebrados comunes en el área protegida, el loro verde y el pizote.

europeos diezmaron sus poblaciones. Hoy, alrededor de 10.000 indios se han establecido en las siete reservas indígenas de la región. Telire, Talamanca, Tayni-Estrella, Ujanas, Salitre, Cabagra y Chirripó ocupan una extensión de 217.441 hectáreas donde estos indígenas viven en paz, practicando sus costumbres tradicionales y siguiendo un modo de vida que utiliza las tierras en perfecta armonía con la capacidad productiva de las mismas.

Las tribus que hoy se localizan en la cordillera de Talamanca son los bribri, los cabecar, los brunca y los guaymi. Estas poblaciones representan casi el 100% de la población total de bribris y cabecares y un importante porcentaje de las poblaciones de guaymis y bruncas que viven en el mundo. Aunque estos grupos indígenas han sufrido en los últimos 400 años diversas influencias culturales, han conservado la mayor parte de su folklore, de su lenguaje, de sus costumbres y de un modo de vivir basado en la subsistencia. Estos indios cazan, pescan y practican una sencilla agricultura. Cuando abandonan un lugar en la selva, a los pocos años lo único que queda y que da testimonio de su paso son los árboles frutales.

Cuando este conjunto de reservas indígenas y naturales que hacen frontera con Panamá se unan con las zonas protegidas en proyecto en este otro país, para crear un gran parque internacional, el de La Amistad, una superficie de unas 800.000 hectáreas quedarán protegidas, lo que la convertirá con mucho en la zona natural con protección oficial más extensa de toda la América Central.

FORTIFICACIONES DE PORTOBELO Y SAN LORENZO

PANAMÁ

❖ **Nombre:** Fortificaciones de la costa caribe Portobelo y San Lorenzo (Panamá).

❖ **Declaración Patrimonio:** 1980.

❖ **Situación:** en la costa caribeña, a 60 y 10 km de la ciudad de Colón, respectivamente; entre los 9° 21' y los 9° 35' de latitud norte y entre los 79° 40' y los 80° 2' de longitud oeste.

esde que Vasco Núñez de Balboa descubrió que existía un océano al otro lado de las tierras de América, y que había un punto, el istmo de Panamá, donde la distancia entre ambos era irrisoria, los españoles no dejaron de soñar en unirlos con un canal. Carlos I se interesó por el proyecto, pero finalmente la obra se reveló desmesurada para los medios técnicos de la época, con gran satisfacción de algunos sectores eclesiásticos que, como el jesuita José de Acosta, habían proclamado que jamás los humanos serían capaces de romper la barrera que Dios había colocado entre ambos mares.

Los siglos demostraron que se trataba de una cuestión de tiempo. Pero, de momento, el César Carlos hubo de reconocer que su poder tenía límites y el oro del Perú siguió atravesando el istmo a lomos de mulas y de indios, para embarcar en los puertos de Portobelo y del río Chagres, rumbo a las arcas de la metrópoli.

LOS CAMINOS DEL ORO

Dos eran las rutas principales que enlazaban los puertos del Pacífico con los del Atlántico, atravesando la región que pronto fue conocida, debido a las grandes riquezas que circulaban por ella, como Castilla del Oro. El Camino

En 1502 Cristóbal Colón alcanzó por primera vez la desembocadura del río Chagres (abajo), en donde en 1575 se estableció la primera fortaleza de este lugar, la de San Lorenzo el Real (arriba y centro). Este fuerte está construido en dos niveles, unidos entre sí por una rampa, el más bajo dominando el mar y el otro mirando hacia tierra adentro. En la página anterior, las fortificaciones de Portobelo.

Real llevaba hasta una bahía cuyas excelentes condiciones como fondeadero ya fueron apreciadas por el mismo Cristóbal Colón, que le dio el nombre de Portobelo. El Camino de Cruces terminaba muy cerca de la actual entrada al Canal de Panamá, en las bocas del río Chagres, e implicaba la navegación parcial de esta vía fluvial.

Desde su fundación, la Corona española se preocupó de proteger ambos puertos con un formidable conjunto de fortificaciones que fueron creciendo, a lo largo de los siglos, en proporción inversa a la hegemonía naval hispana. Aunque muy dañados por el tiempo y las muchas vicisitudes que han pasado por sus piedras, constituyen aún uno de los más completos muestrarios de arquitectura militar de los siglos XVII y XVIII que pueden encontrarse en América. No menos de nueve fortalezas de diversa envergadura, así como baluartes, murallas y otras obras menores forman aún en torno a la bahía de Portobelo un muro defensivo prácticamente continuo, que tuvo sus orígenes en el plan global de protección de los puertos del Caribe encargado por Felipe II, a finales del siglo XVI, a Juan Bautista Antonelli y Juan de Tejeda.

Una de las medidas que se tomaron en aplicación de este plan fue el traslado

del puerto principal de embarque para los galeones de Indias desde Nombre de Dios a Portobelo, más fácil de fortificar. Con este motivo se procedió a la fundación oficial de la ciudad de San Felipe de Portobelo, el 20 de marzo de 1597, a cargo de don Francisco de Valverde y Mercado. En realidad, en el lugar existía ya desde hacía años un asentamiento lo suficientemente importante como para que Francis Drake lo atacara en 1572, después de saquear Nombre de Dios. Todavía sin fortificar, Portobelo fue capaz sin embargo de resistir al más famoso corsario de la historia, que perdió la vida en el intento y quedó para siempre, dicen, sepultado en un ataúd de plomo bajo las aguas de la única ciudad que no pudo derrotar.

CASTILLOS SOBRE EL MAR

Como experto ingeniero militar que era, Antonelli trazó el primer proyecto de fortificaciones para Portobelo siguiendo un modelo que ya había sido utilizado con éxito en Europa: dos fuertes enfrentados cubrían con el fuego cruzado de sus respectivas artillerías el acceso al puerto. La bahía de Portobelo, con su entrada flanqueada por dos promonto-

rios rocosos, ofrecía inmejorables condiciones para desarrollar este esquema. La punta de Todofierro sirvió de soporte al castillo de San Felipe de Sotomayor, cuyas obras se iniciaron en 1598; poco después comenzó a alzarse en el otro extremo de la bahía la fortaleza de Santiago. Ambos se dieron por concluidos en 1600, aunque Santiago sería abandonado en 1604, a raíz de la construcción del castillo de Santiago de la Gloria al pie de la loma del Perú, sobre una terraza que dominaba la bahía. Antonelli dirigió también las obras de este último fuerte, aunque utilizando planos

de Hernando de Montoya. En estos primeros años se alzaron también notables edificios civiles, como el que alojaba la Aduana, destinados a dotar a la ciudad de la infraestructura necesaria para sus nuevas funciones.

Durante algún tiempo, estas fortificaciones se consideraron suficientes. La creciente amenaza de los corsarios aconsejó, finalmente, la construcción de dos fuertes más al fondo de la bahía, flanqueando la ciudad. Los planos fueron nuevamente encomendados al ya anciano Antonelli, bajo cuya dirección se llevaron a cabo

entre 1663 y 1667 las obras del castillo de San Jerónimo, situado al noroeste de la ciudad. Por el contrario, el fuerte de San Cristóbal, situado al este, sufrió numerosas modificaciones en su ambicioso proyecto inicial, quedando finalmente inacabado. Este poderoso sistema defensivo no tardó, sin embargo, en revelarse insuficiente. En 1668, el corsario inglés Henry Morgan consiguió tomar Portobelo, que resultó seriamente dañada tanto en sus edificios militares como civiles. Reconstruidas las fortificaciones, fueron incrementadas en 1726 con el fuerte Farnesio,

Todas las construcciones defensivas de Portobelo rodean la bahía para protegerla. Son magníficos ejemplos de la arquitectura militar española de los siglos XVII y XVIII, que han llegado a nuestros días en un aceptable estado de conservación gracias a la solidez de su construcción.

situado al oeste de la bahía, sobre la punta del mismo nombre y frente al castillo de San Felipe de Sotomayor.

ÚLTIMAS FORTIFICACIONES

A pesar de ello, Portobelo cayó de nuevo en 1739 en manos inglesas, esta vez las del almirante Edward Vernon, sin duda el episodio más sombrío en la agitada historia del enclave. El castillo de Todofierro quedó completamente destruido, así como el de Santiago de la Glo-

ria, que hubo de ser abandonado definitivamente, y San Jerónimo sufrió serios daños que requirieron una completa reconstrucción. La principal consecuencia de este desastre fue el envío a Portobelo de los ingenieros Luis Salas y Manuel Hernández entre 1753 y 1760, con el encargo de remodelar enteramente el sistema de fortificaciones, aprovechando su necesaria restauración.

Siguiendo las tendencias de la ingeniería militar de la época, Salas y Hernández introdujeron un nuevo sistema defensivo, consistente en dotar a los fuertes de

una batería alta y otra baja, así como un fortín en el punto más alto de la posición. Siguiendo estos criterios fue reconstruido San Jerónimo y edificado un nuevo Santiago de la Gloria, a pocos metros de su predecesor y homónimo, y se levantó el castillo de San Fernando en la parte central del litoral, al pie de una alta colina en cuya cima se situó un fortín.

Una última fase de construcciones defensivas se llevó a cabo entre 1779 y 1780 a cargo de Agustín Crane, que completó el conjunto con dos pequeñas baterías: Buenaventura, situada sobre la ensenada del mismo nombre, y La Trinchera, destinada a prevenir un posible ataque desde el valle de Honduras.

Tan formidable sistema de fortificaciones adolecía, sin embargo, de un grave defecto: resultaba ya innecesario. La supresión del sistema de galeones en 1738 había marcado el comienzo del inexorable declive de Portobelo. Su célebre feria, antaño la más concurrida de Centroamérica, fue perdiendo también poco a poco importancia, y finalmente la vieja ciudad se convirtió en el tranquilo puerto pesquero que es hoy. De la definitiva inutilidad de sus fortificaciones da fe el hecho de que en 1909, durante la construcción del Canal, el fuerte de Todofierro fuera demolido para abrir una cantera en el promontorio de roca basáltica que le servía de asentamiento. Unas cuantas piedras esparcidas por la bahía es todo lo que queda del que fuera orgulloso castillo de San Felipe de Sotomayor.

SAN LORENZO DEL RÍO CHAGRES

Las mismas vicisitudes de Portobelo fueron, en líneas generales, sufridas por San Lorenzo, el enclave destinado a proteger la desembocadura del río Chagres, donde terminaba el Camino de Cruces; no en vano fue también un importante puerto de embarque del oro, y por tanto igualmente codiciado por los corsarios. En el Chagres, sin embargo, nunca llegó a fundarse una gran ciudad como Portobelo, y el conjunto de fortificaciones de San Lorenzo, hoy en ruinas, es el único testimonio de la importancia que un día tuvo.

Su origen es muy temprano: ya en 1575 se estableció en el lugar una primera fortaleza, San Lorenzo el Real, complementada en 1597 con un puesto de artillería costero, dentro del plan de reforzamiento de las fortificaciones del istmo que estaba llevando a cabo Antonelli.

A comienzos del siglo XVII se hizo necesaria una primera reconstrucción del castillo, que se aprovechó para dotarlo de seis grandes cañones de bronce suplementarios. En 1637, Pedro Tomás Lanza presenta la primera propuesta destinada a ampliar las fortificaciones, abarcando también la meseta de la colina.

Cuando Morgan se apoderó de Portobelo en 1668, lo hizo también de San Lorenzo, que le sirvió de base para su posterior ataque a Panamá. Muy poco después, en 1671, el enclave cayó en manos de Joseph Bradley. A raíz de estos

En torno a la bahía de Portobelo se construyeron nueve fortalezas de diversa envergadura, junto con baluartes, murallas y otras obras defensivas algunas de las cuales nos muestran las fotografías. La mayoría de ellas fueron realizadas bajo la dirección de Juan Bautista Antonelli, que dio al conjunto un aspecto masivo y medieval caracterizado por sus gruesas torres y defensas.

ataques, las fortificaciones fueron reforzadas y modernizadas, lo que no impidió que sucumbieran igualmente al ataque de Vernon, que las destruyó en 1740. Una última reconstrucción fue dirigida poco después por Ignacio de Salas. En 1821, cuando Panamá se independizó de España para unirse a Colombia, San Lorenzo fue el único punto en que permaneció una guarnición de soldados españoles. La fortaleza fue convertida en prisión de Estado en 1869, ya bajo control colombiano, antes de ser definitivamente abandonada. Había perdido su utilidad mucho tiempo atrás, cuando dejaron de bajar por la ruta del Chagres los barcos cargados de oro del Perú. El río, sin embargo, continuó siendo una pieza clave de la comunicación entre los dos océanos. Sus aguas se utilizan aún para regular el caudal de las esclusas de Gatún, las primeras que los barcos procedentes del Atlántico deben franquear para cruzar el Canal: aquel viejo sueño del César Carlos, hoy hecho realidad, que ha permitido al istmo de Panamá seguir siendo la cintura caliente de América, cuando ya galeones y corsarios yacen desde hace siglos sepultados juntos bajo los corales del Caribe.

PARQUE NACIONAL DARIÉN

PANAMÁ

- ❖ **Nombre:** Parque Nacional Darién (Panamá).
- ❖ **Declaración Patrimonio:** 1981.
- ❖ **Situación:** al sureste del país, junto al océano Pacífico, haciendo frontera con Colombia; entre los 7° 12' y los 8° 31' de latitud norte y entre los 77° 9' y los 78° 25' de longitud oeste.
- ❖ **Extensión:** 575.000 has.

E l parque nacional más extenso de toda Centroamérica, con 575.000 hectáreas de superficie, se localiza en el sureste de Panamá, haciendo frontera con Colombia. La diversidad de sus hábitats, la riqueza de especies vegetales y animales que allí viven, los numerosos endemismos que se han censado, su estratégica situación como puente entre Norteamérica y Sudamérica y sus valores históricos y antropológicos convierten estas hectáreas protegidas, muchas de ellas todavía inexploradas, en un santuario de vida silvestre.

Las selvas que por primera vez vieron los españoles en 1501 conducidos por Rodríguez de Bastida y Vasco Núñez de Balboa en esta región, apenas han variado. Y el esfuerzo que realizaron estos hombres para abrirse paso entre esta densa vegetación hasta poder descubrir el océano Pacífico, en poco se diferencia del que tiene que hacer hoy el científico que se adentra en las extensas áreas vírgenes de este parque nacional. Y es que en casi quinientos años el impacto humano sobre el Darién ha sido mínimo.

UN MOSAICO DE ECOSISTEMAS

Las selvas del Darién están consideradas como los ecosistemas más variados de toda la América tropical. El más extenso es el parque tropical húmedo, también conocido como bosque monzónico, que ocupa los terrenos bajos no inundados del parque nacional hasta una altitud de 200 metros. La altura media de los árboles que forman esta abigarrada masa forestal es de 40 metros, aunque de ella emergen algunos ejemplares que pueden alcanzar los 50 metros de altura. La densidad de este bosque varía desde los 30 a los 120 árboles

por hectárea, con una media de 60 árboles por hectárea. Entre las especies más características se encuentra el cuipo (*Cavanillesia platanifolia*), un árbol de hoja caduca que fácilmente sobrepasa, con sus 50 metros de altura, el dosel forestal.

Son también muy característicos los bosques cenagosos de agua dulce, localizados principalmente a lo largo del río Chucunaque y del curso inferior del río Tuira.

Estos bosques se inundan durante la estación de lluvias, de mayo a noviembre, y se caracterizan por su escasa diversidad vegetal. Están formados casi únicamente por cativos (*Prioria copaifera*), especie de madera muy estimada, por lo que se convierte en el árbol más explotado con fines comerciales de la región del Darién.

A lo largo de la costa pácifica, pero muy en particular en la región del Golfo

de San Miguel, bautizado con este nombre por Núñez de Balboa cuando descubrió aquí en 1513 el Pacífico, se localizan amplias extensiones de manglar, uno de los ecosistemas más productivos del mundo. Tres manglares son los más abundantes: el mangle rojo (*Rhizophora mangle*), el mangle negro (*Avicenia nitida*) y el mangle blanco (*Laguncularia racemosa*).

Por encima de los 200 metros de altitud se extienden los bosques premontanos y montanos, de un enorme interés botánico, en los que se incluyen los bosques de niebla y los bosques enanos del cerro Pirre. Estas masas forestales de montaña se caracterizan por el alto nivel de endemismos botánicos que poseen y todavía hoy los científicos se sorprenden continuamente con el descubrimiento de nuevas especies para la ciencia.

ZONA PUENTE O DE TRANSICIÓN

Tanto desde el punto de vista faunístico como del botánico, el Parque Nacional Darién es una zona de transición en el que las especies típicamente tropicales y neárticas se mezclan, constituyendo respectivamente sus límites septentrional y meridional de sus áreas de distribución. Dos claros ejemplos entre los mamíferos son el capibara *(Hydro-chaeris hydrochaeris)*, el roedor más grande del mundo, y el perro de monte *(Speothos venaticus)*.

Estas hectáreas protegidas sirven de hábitat a numerosas especies declaradas por la UICN en peligro o amenazadas de desaparición. Así, en el parque habitan poblaciones estables del soberbio jaguar *(Panthera onca)*, del manigordo *(Felis pardalis)*, del tigrillo *(Felis wiedii)* y del ubiquista puma *(Felis concolor)*.

Los estratos superiores de la selva son el dominio de los monos. Entre ellos destacan por su abundancia el mono de noche *(Aotus trivirgatus)*, el mono aullador *(Alouatta villosa)*, el pequeño mono araña *(Ateles fuscipes)* y el mono colorado *(Ateles geoffroyi)*. En el interior del bosque son abundantes las poblaciones de ciervos *(Odoicoleus virginianus)*, así como las manadas de pecaris *(Tayassu pecari)* y de saínos *(Tayassu tajacu)*. Una especie amenazada y que cuenta con una importante población en el Darién es el tapir o macho de monte *(Tapirus bairdii)*.

Muchas de estas especies pueden ser vistas con relativa facilidad siguiendo sobre una piragua indígena los cursos de agua en los que además de una variada

ictofauna se localizan dos reptiles amenazados de desaparición: el caimán de América Central *(Caiman crocodylus)* y el cocodrilo americano *(Crocodylus acutus)*.

Aún no han sido censadas todas la aves de este parque nacional y mucho menos el resto de los vertebrados e invertebrados. Sin embargo, merece destacar la presencia estable de la gran águila arpía *(Harpia harpyja)*, inmortalizada en el escudo panameño y que cuenta aquí con la población más importante del istmo centroamericano.

INDIOS Y ANTIGUAS CIVILIZACIONES

El Darién está situado en una zona arqueológica denominada "zona intermedia", una especie de pasillo entre las regiones de las grandes civilizaciones autóctonas precolombinas de Mesoamérica y del Perú y aunque los estudios arqueológicos apenas se han emprendido, los pocos descubrimientos accidentales realizados hasta la fecha permiten asegurar la presencia humana en la región que se remonta a muchos siglos antes de la era cristiana. Entre estas culturas ya desaparecidas destaca la de los indios cuevas.

En la actualidad existen dos culturas autóctonas totalmente diferentes representadas por los indios cuevas y los indios chocoes. Los cuevas se han mostrado más impermeables a las influencias de la sociedad occidental que los chocoes. Estos indios viven en pequeñas comunidades agrupadas en aldeas muy primitivas y su economía de subsistencia se basa en una agricultura incipiente y en una actividad cazadora-recolectora, que se caracteriza por su racionalidad y por su menor agresividad hacia la naturaleza que la de sus vecinos los chocoes. Sobre estas comunidades dominan tres personajes fundamentales: el *nele* o líder espiritual que es capaz de comunicarse con el más allá; el

Especies vegetales todavía sin descubrir para la ciencia, cursos de agua que se precipitan hacia el Pacífico, selvas desconocidas y exuberantes, especies animales desaparecidas en otras regiones centroamericanas como el jaguar (abajo) y dos culturas indígenas autóctonas convierten a la región del Darién en un área de interés universal.

Las selvas del Darién están consideradas como las más variadas de toda la América tropical. El bosque húmedo tropical domina sobre todas las otras asociaciones vegetales, con árboles que poseen una altura media de 40 metros y con una densidad que varía entre los 30 y los 180 ejemplares por hectárea. Estas selvas se encuentran atravesadas por innumerables ríos y arroyos, como el que nos muestra la fotografía.

innatuledi o curandero botánico que conoce perfectamente las propiedades medicinales de la flora autóctona, y el *absoguedi* o hechicero encargado de detener las epidemias y calamidades.

Los chocoes practican también una agricultura rudimentaria de consumo y recolección de frutos silvestres. Practican, al contrario de los cuevas, una caza intensa y devastadora. Sus poblados se encuentran siempre en las orillas de los ríos, al estilo palafítico, y la pesca se convierte en el centro de sus actividades. Es notable su artesanía, realizada casi exclusivamente por los hombres, que se engalanan con joyas de manera más vistosa que las mujeres.

Estos 4.500 kilómetros de selvas vírgenes que convierten a Dairén en una de las áreas boscosas más importantes de Centroamérica, fueron justamente designadas Patrimonio de la Humanidad en 1981 no sólo por la gran variedad de ecosistemas, hábitats y especies que albergan sino también por sus valores antropológicos e históricos y porque constituyen un importante punto de encuentro natural entre la fauna y flora de América del Sur y América Central.

CARTAGENA DE INDIAS

COLOMBIA

L os primeros pasos de los españoles en América fueron engañosamente fáciles. En las Antillas encontraron indios pacíficos y amistosos, a los que no fue difícil someter; en México, un gran imperio en el que bastó sustituir al poder central para hacerse con el control de un extenso territorio. Animados por el éxito obtenido, los conquistadores se lanzaron a nuevas empresas, esta vez en las costas caribeñas de lo que son hoy Colombia y Venezuela.

A llí se encontraron con el trópico en toda su dureza de selvas y lluvias, y sobre todo con las feroces tribus caribes, las mismas que habían mantenido aterrorizados a los indios antillanos antes de la Conquista. La primera fundación destinada a ser definitiva se llevó a cabo en 1533, por el madrileño Pedro de Heredia, sobre el emplazamiento de un poblado indígena llamado Calamarí, cuyos habitantes habían ofrecido encarnizada resistencia a la Conquista. Recibió el nombre oficial de San Sebastián de Cartagena, pero muy pronto se generalizó el uso de otro más popular, con el que ha llegado hasta nuestros días: Cartagena de Indias.

EL ORO DE LOS MUERTOS

L a primera ordenación urbana de Cartagena se realizó entre 1535 y 1537, a cargo de Juan de Vadillo. La ciudad fue arrasada por un incendio en 1552, y no sabemos hasta qué punto la reconstrucción se ajustó al trazado original, ya que el plano más antiguo que conservamos es posterior a ella: data de 1595 y fue levantado por el ingeniero Juan Bautista Antonelli, como base para trazar el sistema de fortificaciones que le había sido encargado por el rey Felipe II. Para entonces, Cartagena ya había crecido mucho. A su fulgurante ascenso no fue ajeno el saqueo de tumbas de la cultura sinú, que el capitán Francisco César de Cartagena había encontrado en el cercano valle del Cauca gracias a las indicaciones de unos indios. Los sinú eran una de las llamadas "culturas del oro" colombianas, y acostumbraban enterrar a sus caciques con ricos ajuares funerarios. El expolio de tumbas fue, de hecho, una práctica tan usual en la región durante el siglo XVI, que llegó incluso a merecer un tibio decreto de la Corona

española, declarándola contraria a la moral cristiana.

Si saquear tumbas era pecado, los cartageneros no tardaron en pagarlo con el infierno de las incursiones piratas, que menudearon desde los sonados ataques de Hawkins y Drake en 1568. A la riqueza de la ciudad se sumaba el hecho de ser uno de los principales puertos de atraque de la flota de Indias, que funcionaba desde 1561 con el fin, precisamente, de proteger de ataques corsarios a los barcos que trasladaban a la Península el oro y la plata procedentes de las ricas minas americanas.

FUERTES Y MURALLAS

Cartagena no carecía totalmente de defensas, pues ya en las capitulaciones dadas a Pedro de Heredia se hablaba de construir un fuerte para proteger el puerto, y en 1565 sabemos que existían los de la Caleta y el Boquerón. Cuando el rey Felipe II se decidió a poner en marcha el gran plan de fortificación de los puertos del Caribe, éste quedaría para siempre ligado al nombre del ingeniero Juan Bautista Antonelli, fundador de una saga familiar que durante largos años estuvo al servicio de la Corona española.

En Cartagena, Antonelli optó por encerrar íntegramente la ciudad, a excep-

La fotografía de la página anterior nos muestra en primer término la bella plaza de la Aduana con sus característicos balcones cubiertos de tejadillos y al fondo, recortándose sobre el mar Caribe, la iglesia de San Pedro Claver. A la izquierda, la Boca del Puente con la Torre del Reloj y a la derecha, el parque del Centenario junto al barrio de Getsemaní.

ción de un arrabal, dentro de una poderosa muralla de piedra jalonada de baluartes, según los principios de la ingeniería militar vigentes por entonces en Europa. El fuerte de San Felipe de Barajas y la batería de San Fernando de Bocachica, emplazada frente al mar, presiden el conjunto. Todas estas fortificaciones han llegado hasta nuestros días prácticamente íntegras, a excepción del fuerte de San Felipe, muy deteriorado. Se conserva incluso el cerco casi completo de las murallas y buena parte de sus cañones originales, caso único en el contexto americano, que convierte a Cartagena en uno de los enclaves fortificados más espectaculares del continente.

ARQUITECTURA CIVIL Y RELIGIOSA

Pero la Cartagena colonial distó mucho de ser sólo una gran fortaleza. Abrigada por sus muros, que la defendieron de innumerables ataques, creció una ciudad llena de vida, que desde sus orígenes hasta hoy mismo ha cumplido ininterrumpidamente su papel de puerto principal de la Nueva Granada, primero, y de la República de Colombia, más tarde. Este dinamismo se ha traducido en una continua evolución, o incluso superposición, de los edificios de la ciudad vieja. Rasgo común de los edificios civiles y religiosos es una notable austeridad decorativa, que contrasta vivamente con la exuberancia de otras regiones americanas y cuyo origen se encuentra en una curiosa real cédula de 1550 que prohíbe expresamente tales alardes en la Nueva Granada.

La catedral tuvo, al parecer, modestos orígenes de cañizo, incluso después del incendio de 1552, y su primera traza de piedra fue casi destruida por Drake antes de ser terminada. Su aspecto actual parece corresponder con bastante fidelidad, no obstante, a este primer diseño.

La ciudad de Cartagena no sólo es un conjunto muy completo de fortificaciones, como las sólidas murallas que la rodean (arriba), sino también un conjunto de edificaciones civiles y religiosas que prosperaron desde el siglo XVI, algunas de las cuales nos muestran las fotografías de estas páginas.

Durante el siglo XVI, las órdenes religiosas que mayor arraigo tuvieron en Colombia fueron los dominicos, franciscanos y agustinos. Todas ellas tuvieron en Cartagena importantes conventos de los que sólo subsiste la iglesia de Santo Domingo, cuya fábrica actual data del siglo XVII. Presenta planta de una sola nave con crucero y capillas laterales, y una elegante fachada de corte herreriano. Ya en los siglos XVII y XVIII, el extraordinario auge de la Compañía de Jesús eclipsó en las colonias a las demás órdenes, hasta su expulsión en 1767. En Cartagena dejaron los jesuitas una espléndida iglesia: San Pedro Claver. Su estructura está inspirada en la iglesia romana del Gesù, modelo muy utilizado por la Compañía en sus fundaciones americanas, con un segundo piso sobre las capillas laterales.

El más notable edificio civil que se conserva en Cartagena, el Palacio de la Inquisición, pertenece también a esta última época colonial, estando fechado en 1770. Su espléndida portada barroca destaca poderosamente sobre el blanco luminoso del resto de la fachada, que responde al modelo típico de las viviendas cartageneras, con rejas de madera torneada en la planta baja y balcones corridos en la primera, todo ello encalado.

Madera y cal son dos constantes del paisaje urbano de Cartagena, al que proporcionan un singular sabor andaluz. La madera fue utilizada abundantemente en techumbres de alfarje, herencia del arte árabe español, que se convirtieron en el sistema más común de cubrir iglesias y palacios en toda Colombia. Pero en Cartagena la madera fue sobre todo un elemento de la arquitectura popular, profusamente utilizada en balcones y rejas, siempre encalados como el resto de la fachada, que decoran innumerables viviendas en barrios como San Diego o Getsemaní. Este estilo permaneció vigente, prácticamente sin cambios, durante los tres siglos de dominio español.

CENTRO HISTÓRICO DE OLINDA

BRASIL

- ❖ **Nombre:** Centro histórico de la ciudad de Olinda (Brasil).
- ❖ **Declaración Patrimonio:** 1982.
- ❖ **Situación:** en el noreste del país, en el estado de Pernambuco, a 7 km de Recife; en los 8° 0' de latitud sur y los 34° 56' de longitud oeste.

Olinda, frente al Atlántico y rodeada de idílicas arboledas tropicales, es una ciudad plena de monumentos del siglo XVII y posteriores perfectamente enmarcados en el estilo colonial portugués. Fundada en 1535, pronto progresa la ciudad merced al comercio con el azúcar. En 1630, Olinda cae en manos de los holandeses, ansiosos por adueñarse del comercio del azúcar, pero un año después la destruyen. Restaurada la dominación portuguesa en 1654, Lisboa intenta en vano devolver a la población el antiguo esplendor.

El 9 de marzo de 1535 Duarte Coelho Pereira arriba a las playas del noreste para instalar en Olinda la sede de su capitanía. Las capitanías eran inmensas donaciones con carácter hereditario que hacía la Corona portuguesa, de extensión y rango equivalentes a las actuales regiones, en las dos primeras décadas de la colonización. Dice la tradición que uno de los criados del marino, mandado al bosque para encontrar un sitio donde fundar una ciudad, al ver la colina frente al océano, exclamó: *"O linda!"* Que viene a decir: ¡Qué bella! Acaso sea cuestionable esta leyenda de tinte etimológico; pero bien pudo haber sido cierta, pues es muy similar la reacción en quien la avista por vez primera. Su situación frente al mar sobre una colina permitía su fácil defensa y su comunicación con el continente europeo.

Un siglo luminoso

Sin embargo, es imposible construir un puerto en las inmediaciones, pese a estar en la costa; pero se desprecia esta circunstancia dada la proximidad de Recife. El trazado de la ciudad obedece a la intención de unir por el camino más corto los edificios principales: la iglesia, la prisión, el palacio episcopal, los conventos... Las actuales plazas son los atrios de las iglesias o los cruces de las calles. Al poco, Olinda se erige en símbolo de la mayor fuente de riqueza de Brasil durante esos siglos: el azúcar. A la par, los religiosos desembarcan y empiezan la edificación de sus conventos y jardines. El progreso es asombroso y la prosperidad llama a todas las puertas de Olinda; salvo a las de los esclavos, claro está. La ciudad se convierte en una de las más ricas del nuevo continente y surgen rápidamente calles e iglesias, palacios y mansiones, fruto de fortunas enormes. El azúcar es como el oro en esos tiempos; pero también un arma de doble filo.

Una codiciada golosina

El mismo azúcar que la hace brillar, provoca su caída en manos holandesas. Holanda desea a toda costa adueñarse por completo del monopolio del azúcar, que ya controla en parte a través de la Compañía de Indias Occidentales. En 1630, convierte en papel mojado todos los tratados firmados sobre propiedades coloniales y sus tropas asaltan Olinda. Así, se da fe de tal victoria en medallas

Las fotografías nos muestran el convento e iglesia de San Benito; el interior de la iglesia de Nuestra Señora de las Nieves, también de la misma época; unos originales azulejos portugueses que decoran las paredes de la capilla de Santa Ana y un conjunto de casas coloniales de la ciudad. En la página anterior, el convento e iglesia del Cármen, de los siglos XVII-XVIII.

adonde se han trasladado los holandeses. La fertilidad de la tierra es proverbial y la labor de los jesuitas de enseñanza de técnicas agrícolas, así como de adaptación de especies europeas a estos climas, es asimismo del todo fructífera. Sin embargo, árboles y huertos acaban destruidos en septiembre de 1632 por sus propios dueños en señal de rebeldía. Cuando en 1654 vuelve la ciudad a la Corona portuguesa, se inicia una lenta reconstrucción. Pero Olinda ya no será ni sombra de lo que era: toda la trepidante actividad en torno al azúcar de Recife es inamovible. Pese a los intentos desde Lisboa por reconducir la situación, ni siquiera se traslada el obispo de Pernambuco, cuya sede oficial por tanto está en Olinda, al efecto elevada a ciudad. En 1757, poco más de 3.000 personas, rodeadas de abundantes ruinas y calles desfiguradas entre arboledas esplendorosas, se empeñan inútilmente en reavivar las cenizas.

ARTESANÍA Y ARQUITECTURA PRODIGIOSAS

Los colonos europeos se amoldan a la naturaleza tropical y al medio americano, al mismo tiempo que se entremezclan, pese a su ostentación aristocrática, con la sangre india y, más tarde, con la negra. Así, estos tres elementos se incorporan a los sistemas sociales, de construcción, de transporte y de alimentación de sus habitantes.

El barroco colonial surge aquí y allá. La piedra y la cal toman forma de campanarios y frontispicios, pese a todo revestidos de bastante sobriedad. Arquitectura y arboleda conforman un conjunto armonioso y apacible. Prodigiosa azulejería con escenas religiosas o profanas recubre por igual fachadas que interiores en una gama de grises, azules y blancos: colores fríos y sencillos en estos murales de fuerte personalidad. Olinda en el siglo XVII ya no

conmemorativas, y numerosos documentos, abundante iconografía y cartografía se refieren al suceso. Sin embargo, su falta de puerto y los obstáculos para defenderla debidamente de los continuos hostigamientos, hacen abandonarla. El ansia de

venganza parece no saciarse y todo es destruido: iglesias, conventos, mansiones, casas. Nada queda. Corría el año 1631.

Tan sólo han sobrevivido unos pocos agricultores, que deben pagar en especies un alto tributo impuesto desde Recife,

LA LUZ TROPICAL DE OLINDA

La trama urbana de Olinda se conserva bastante íntegra e invariable tras su reconstrucción en el siglo XVII. Las líneas se suavizan en el paisaje, atenuado y a la vez engrandecido más aún por la realidad omnipresente del océano cercano y del horizonte sin fin. Olinda siempre ha mantenido esa fidelidad al entorno, se ha integrado en esta costa de flora salvaje y variadísima con su aire colonial, tanto en sus templos como en los grandes edificios civiles, de aspecto sobrio pero de riquísima decoración tras sus puertas. La luz es tropical, exótica, lujuriante. El poder de hechizamiento del mar de Olinda permanece inalterado. Como escribe el naturalista Konrad Günther en su libro sobre las Antillas brasileñas: "El mar de Olinda jamás es el mismo. Cambia con la luz. Muda de color como un diamante."

puede pretender ser una ciudad bulliciosa ni capital de tráfago ajetreado alguno; pero sí reunir suficientes elementos como para hacerla uno de los asentamientos más estables de Brasil. Ese mismo tiempo lento que permite surgir de las manos del orfebre púlpitos, altares, custodias y demás ornamentos con inusitado y primoroso detalle. O, ya en madera y de manos del tallista, los coros y esculturas de Olinda, perfectos en su ejecución y ejemplos soberbios de pericia.

Sobresalen monumentalmente la iglesia episcopal, la restaurada de Graça, la de São João Batista, do Carmo, da Misericordia, do Amparo, do Monte, las franciscanas das Neves y São Bento, con ricas decoraciones de taracea en sus altares, columnas y púlpitos. Diversos edificios civiles, construidos entre los siglos XVII y XIX, completan el repertorio histó-

A la izquierda, la sacristía de la iglesia de San Benito, del siglo XVIII, y el convento franciscano e iglesia de Santa María de las Nieves. A la derecha, la catedral colonial de Olinda y una de las calles de la ciudad, que se caracterizan, en general, por seguir las crestas y las curvas de nivel del terreno.

rico-arquitectónico de Olinda que abarca así desde el barroco al neoclásico.

En el transcurso del siglo XIX, los templos y palacios acogen cierto aire romántico o neoclásico, más acorde con los vientos que corren por Europa; aunque no se abandona la azulejería, ni la talla, ni la orfebrería –las tres grandes artesanías que alcanzan enorme maestría en Olinda–. De estas características son el palacio Arzobispal y la antigua prisión, hoy museo de Arte Contemporáneo de Pernambuco. También la plaza João Alfredo y la calle do Amparo exhiben notables mansiones dieciochescas.

Pero Olinda sobresale en el terreno de la arquitectura religiosa. Ejemplos soberbios de esta labor son la iglesia Episcopal y el colegio y la iglesia de los Jesuitas, hoy iglesia de la Graça, muy cuidadosamente restauradas según su aspecto original. O São João Batista, también del siglo XVII, y el convento y la iglesia do Carmo –que ya se adentra en el XVIII–. Su contemporánea, la franciscana das Neves (XVII y XVIII), de preciosa azulejería en sus muros, y São Bento (del XVIII), adosada al convento homónimo y de maravillosos altares de madera, son asimismo muestras excelsas de los artistas de Olinda. Hay que añadir por último que en la iglesia de São Francisco se encuentra una de las tallas de madera mejor trabajadas de la época.

REVOLUCIONARIA Y OLVIDADA

En 1800 sucede un hecho de capital importancia para la ciudad, distante ya todo sueño de recuperar la grandeza anterior a 1630. En lo más alto de la colina se funda el seminario de Olinda, que pronto se convierte en uno de los centros de enseñanza superior más importante de Brasil. En sus aulas se forman la mayoría de los intelectuales y la aristocracia revolucionaria que propugnan la independencia y también los movimientos republicanos de 1817, 1821 y 1824. Por esas mismas fechas, en 1811, se crea el Jardín Botánico de Olinda, fundamental para el conocimiento de la flora de toda la región y del África portuguesa, que recoge el saber de los ya tradicionalmente prestigiosos jardineros y hortelanos de la ciudad. Hay constancia de que un viajero que arriba a estas costas por entonces encuentra a Olinda con un "aspecto general de tranquilidad"; pero "un cierto grado de desolación".

En 1828 se crea la Academia de Ciencias Jurídicas que, en 1854, se traslada a Recife. Desde este centro intelectual y mediante un reconocido arte tipográfico se divulgan las traducciones del inglés, francés y español, de las doctrinas de la época. Desde entonces y hasta recientemente, con la implantación de la costum-

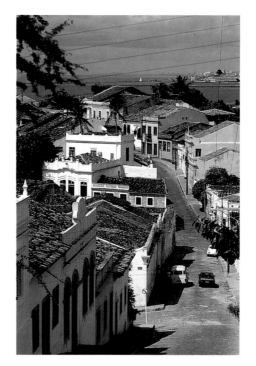

La exuberante vegetación, con numerosas palmeras y árboles frutales envuelve en una masa verde, bajo la luz tropical, todas las construcciones de la ciudad, como la iglesia y convento del Cármen (derecha), mientras que a sus pies la playa y el océano completan este original marco natural de una ciudad colonial fundada en 1535.

bre de descansar en la playa y la erección de villas residenciales a lo largo de la costa por su proximidad a Recife, Olinda se ve sumida en un letargo apacible, ideal entre las vallas floridas y los muros blancos de sus templos; aunque éstos a veces pierdan demasiado terreno en la desigual batalla contra el moho invasor y el óxido costeño. El mismo aire que hoy sobrecoge y relaja tanto al visitante, como a los numerosos artistas brasileños que aquí se establecieron, y el mismo ambiente que apasionó a sus fundadores hace cuatrocientos años.

Salvador de Bahía

Brasil

❖ **Nombre:** Salvador de Bahía (Brasil).

❖ **Declaración Patrimonio:** 1985.

❖ **Situación:** estado de Bahía, en el noreste del país, en la costa atlántica; en los 12° 58' de latitud sur y los 38° 30' de longitud oeste.

En la costa noreste de Brasil se alza la ciudad de Salvador de Bahía, la primera capital del Estado y encrucijada de las culturas india, africana y europea, desde los siglos XVI al XVIII. Su centro histórico es rico en monumentos de esta época y conserva buen número de sus viejas casas policromadas. Fundada en 1549 por el gobernador general Tomé de Sousa frente a la bahía de Todos los Santos, es la primera capital del país por orden del rey Juan III de Portugal hasta 1763, año en que se traslada la Administración a Río de Janeiro.

alvador de Bahía es el centro económico y político de la colonia desde los siglos XVI al XVIII y constituye un perfecto ejemplo de cómo una estructura urbana, la del Renacimiento, se adapta y acopla a las exigencias sociales, orográficas y climáticas del Nuevo Mundo. La ciudad colonial alta, la mejor conservada, respondía a la vez a requerimientos defensivos y residenciales, y albergaba también funciones administrativas. El centro histórico se articula en torno al barrio de Pelourinho y su plaza triangular presenta gran densidad monumental en un entorno muy accidentado. La razón de esta ubicación se debe a que es más fácil de defender de los ataques desde la costa, como así sucede contra los españoles en 1580 y contra los holandeses en 1624. El ambiente resultante es muy pintoresco, coloreado por multitud de pequeñas casas y ennoblecido por solemnes templos y edificios administrativos.

Esclavos y azúcar

Todo comienza entre 1501 y 1502, cuando Américo Vespucio explora la costa brasileña y descubre la bahía de

Todos los Santos. Sin embargo, la Corona portuguesa se limita hasta 1549 a explotar un palo rojizo, llamado precisamente brasil, utilizado para la manufactura de la lana. Ese año Tomé de Sousa, con un grupo de soldados, colonos, jesuitas y desterrados, inicia la construcción de la iglesia de Nuestra Señora de la Concepción en los llanos del Reconcavo. La causa se debe a que Juan III pretende restar

poder a las doce capitanías ya existentes y tomar para la Corona las nuevas propiedades de ultramar.

Los colonos, esclavistas de la población indígena, crean gigantescas haciendas azucareras, con tal dinamismo que suman 60 en 1570 y 346 en 1629. Los proveedores de esclavos son los *bandeirantes,* acérrimos enemigos de los jesuitas, que defienden a los indígenas. Poco

a poco, los holandeses, a través de la Compañía de la Indias Occidentales, se hacen con el control del 70% de las exportaciones a Europa. Pero la oposición jesuita obtiene sus frutos, ya que los indios se resisten con mayor eficacia; pero crece la demanda, lo que origina la masiva descarga de esclavos africanos en los puertos de Salvador de Bahía. Esclavos y azúcar son los pilares del florecimiento de Salva-

Salvador fue la primera capital del Brasil entre los años 1549 y 1763. En su centro urbano se encuentran numerosos edificios religiosos como la iglesia Bonfín (arriba) y la iglesia de Santo Domingo, de la que observamos su interior. A la derecha, el fuerte de San Marcelo encargado de proteger la bahía de Todos los Santos, descubierta por Américo Vespucio en 1502. En la página anterior, la iglesia de San Francisco.

dor y, por extensión, de todo Brasil. "Sin esclavos no hay azúcar, sin azúcar no hay Brasil", rezaba la máxima. También mucha de la plata ilegal que salía de la boliviana mina de Potosí y del oro del Mato Grosso y de Ouro Preto se embarcaban aquí rumbo a Europa.

Cuando Portugal se alía por un corto período a España, la escuadra holandesa de Wilkenses ocupa la ciudad en 1624. La reacción de los propios habitantes, que asesinan al gobernador Van Borth, y el asedio de una flota española, hacen capitular al año siguiente a Holanda. También Salvador es la primera ciudad brasileña en sublevarse contra los portugueses en 1820 en pro de la independencia.

LA FORTALEZA DESBORDADA

Los imperativos defensivos y militares desaparecen por completo a lo largo del siglo XIX y la ciudad entonces se extiende sin el menor obstáculo a las partes más llanas circundantes. La crisis del azúcar y el anterior traslado de la capitalidad a Río de Janeiro son los rejones de muerte para Salvador. La actividad comercial vía marítima de la ciudad va perdiendo importancia y crecen las ocupaciones industriales y las barriadas obreras. De ahí que el puerto y la parte baja de la ciudad no hayan conservado su disposición tradicional y, en particular desde 1966, que el centro histórico se vea

rodeado por la proliferación de edificios nuevos.

Salvador, como numerosas ciudades portuguesas de entonces, comprende desde su mismo nacimiento dos barrios, la ciudad alta y la baja, junto al puerto. Ambas están separadas por un escarpe de unos 60 metros, hoy salvado por funiculares, rampas y ascensores.

La parte alta copia directamente los modelos de la potencia colonial, sin apenas influencias indígenas. Pero esta especie de acrópolis observa una peculiaridad en un principio: intenta, siempre que la orografía lo permita, mantener el trazado recto de las calles. Tal es el cometido de Luis Dias, llegado con Sousa como *maestre das obras da fortaleza e cidade do Salvador*. Aunque no se conservan los primeros planos, el centro era un reducido trapecio amurallado con baluartes en los ángulos alrededor de la actual plaza del 15 de Noviembre, fecha de la independencia brasileña.

Varios caracteres son comunes en casi todas las edificaciones religiosas bahianas que conforman una tipología propia. Son iglesias de pequeñas dimensiones y de una sola nave, con magníficos claustros y techos con falsas bóvedas de madera. También es notable la ausencia de cúpula, el presbiterio profundo y reducido respecto al ancho de la nave, la volumetría cúbica y, por último, la sobriedad de las fachadas encajonadas con frecuencia por un doble campanario y a menudo

Esta ciudad, de la que las fotografías de estas páginas desvelan algunos de sus detalles, constituye a la vez un eminente ejemplo de una estructura urbana del Renacimiento adaptada a una ciudad colonial y uno de los principales puntos de convergencia de las culturas europeas, africanas y amerindias durante los siglos XVI al XVIII.

tan sólo pintadas de un color plano y vivo sin portadas ni relieves.

IGLESIAS PREFABRICADAS

Aquí y allá surgen campanarios, palacios, iglesias cuajadas de tesoros, con una gran dependencia estilística de los cánones de la metrópoli. No en balde a veces se llama a Salvador "la ciudad de los cien campanarios". Así, los esclavos negros construyen Nuestra Señora del Rosario en pleno Pelourinho; por esta razón, sus imágenes tienen rasgos africanos. Los dos campanarios de Nuestra Señora de la Concepción, prefabricada enteramente en Lisboa y montada en Salvador por el cantero Eugenio da Mata entre 1739 y 1765, se levantan en diagonal a la planta del crucero.

Igual proceder se sigue con el colegio jesuita. En Salvador los constructores locales realizan un mero ensamblaje de los arcos, molduras y sillares de los muros traídos en barco; de ahí que carezca de cúpula, en busca de la simplicidad. Diversos elementos actúan para sobredimensionar visualmente la nave, en realidad de reducidas proporciones. Las iglesias de San Pedro y de los Dominicos —cuyo retablo es de una belleza prodigiosa— acompañan al colegio jesuita en el Terreiro de Jesús, creando un espacio arquitectónico de gran armonía.

También carece de cúpula el convento de San Francisco, donde falsas bóvedas y arcos superpuestos se conjugan para agrandar el volumen. Su construcción se inicia a fines del siglo XVII; pero la mayoría de la obra se levanta en las cuatro primeras décadas del XVIII. En el interior del convento, el más marcadamente barroco de todos los edificios bahianos, los estucos, azulejos, retablos policromados, esculturas y gran variedad de ornamento litúrgico inundan las paredes de cruceros, capillas y bóvedas. Su claustro, de no

A la izquierda, el elevador situado junto al puerto en la ciudad baja, la laguna de Abreté, en las proximidades de esta urbe brasileña y uno de los faros que rodean la zona portuaria. Arriba, una vista parcial del puerto con algunas de las edificaciones características de la ciudad baja.

generosas dimensiones, se reviste por el contrario de suma elegancia, muy imbuida en el estilo toscano. Por su parte, la iglesia de Santa Ana es de las más antiguas de la ciudad: su planta cruciforme y la cúpula son un distintivo excepcional de la arquitectura colonial brasileña.

Desde el Terreiro de Jesús hacia el norte, una red de callejas alcanza el convento Do Carmo –donde capitulan los holandeses en 1625 y devuelven Salvador a Portugal–, la iglesia del Carmen, la escalinata de la de Dos Passos, la del Pilar... Están tan integradas en el entorno que parecen ubicadas por un criterio estético

de alegrar o embellecer una manzana o una esquina. Su prodigalidad es magnífica; el movimiento y la belleza resultantes, prodigiosos. Aunque este centro histórico de Pelourinho está ocupado íntegramente por las clases sociales más desfavorecidas y la miseria y el moho –siempre acechante en las ciudades costeñas– se adueñan de no pocas construcciones.

Algo distante de la ciudad alta se atraviesa el antiguo Muelle Dorado, hoy alejado del mar a causa de que se ha ganado tierra al Atlántico. Debe su nombre a la tradición de que una capa de oro cubría sus suelos, a causa del anti-

guo tráfago de este metal precioso. Poco más allá, los templos del Señor del Buen Jesús de los Navegantes y la vistosa portada que remata la iglesia del Señor de Bonfim, de gran devoción en la ciudad pues se cree que satisface los deseos de quienes portan unas cintas de colores consagradas.

En resumen, Salvador de Bahía, pese al gradual decaimiento del centro monumental, ostenta tal riqueza, tal densidad de color y de belleza, que sobresale con una luz que testimonia los esplendores pasados de una potencia ultramarina como Portugal en el Nuevo Mundo.

BRASILIA

BRASIL

- ❖ **Nombre:** Brasilia (Brasil).
- ❖ **Declaración Patrimonio:** 1987.
- ❖ **Situación:** en el centro del país, al sureste del estado de Goiás, en el distrito federal; en los 15º 47' de latitud sur y los 47º 55' de longitud oeste.
- ❖ **Extensión:** 5.800 km^2 (D.F.).

En 1960, tras apenas cuatro años de obras, surge en el centro de la meseta brasileña una ciudad en un inicio capaz de albergar a 700.000 personas: Brasilia, verdadero paradigma futurista del urbanismo y la arquitectura. Núcleo de un distrito federal segregado del estado de Goiás, alberga hoy a 300.000 personas en su núcleo y a 900.000 en las ciudades satélite. La nueva capital de Brasil exhibe el pleno esplendor de la perfecta estética racionalista.

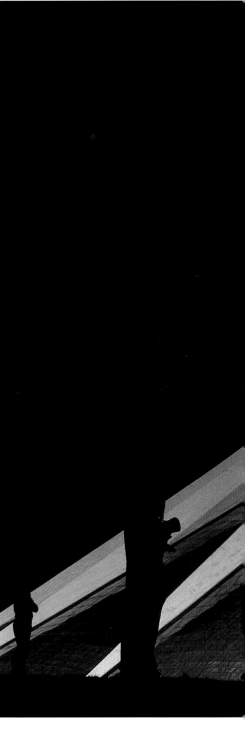

Casi frontera con el estado de Minas Gerais, Brasilia es el espejismo de cuanto pudo ser y se queda en el esplendor de una ilusión. No es el resultado de una evolución histórica sino una urbe surgida por decreto en una inmensa llanura junto a un lago artificial. De ahí su grandeza y también su malogrado destino. Los principios racionalistas y funcionalistas del urbanismo del siglo XX, cuyo máximo defensor es Le Corbusier, están perfectamente ilustrados en Brasilia, capital de Brasil desde 1960, creada para este fin en el centro de un distrito federal de 5.800 km².

UN EMPEÑO PRESIDENCIAL

La idea de fundar una capital en pleno corazón brasileño es muy antigua, ya que se remonta al siglo XIX. En 1823, el entonces ministro José Bonifacio realiza varias sugerencias al respecto. En 1891 se incluye en la Constitución brasileña y dos años después comienzan los estudios para su ubicación. En 1922, en conmemoración del centenario de la independencia, se elige la región centro-oeste para el emplazamiento de la futura capital, poniéndose la primera piedra a

escasos kilómeros al noreste de la actual Brasilia.

Juscelino Kubitschek, presidente de la República en 1955, hace de la creación de la capital un símbolo de su política como expresión de la expansión económica e industrial. Un año después, Kubitschek ordena poner el proyecto en marcha con la formación un organismo ejecutivo, la Novacap,

para que adquiera los terrenos y se inicien las obras de construcción. Ese mismo año, Oscar Niemeyer es nombrado director del departamento de Arquitectura y Urbanismo y Lucio Costa gana el concurso abierto para la elección del proyecto sobre Brasilia. Tras cuatro años de trabajo, Brasilia se inaugura oficialmente en 1959 y al año siguiente se traslada a ella la capitalidad.

Esta pareja, Costa y Niemeyer, ya había dado muestras de su buen hacer en colaboraciones anteriores. De 1936 a 1943 habían firmado juntos el ministerio de Educación en Río de Janeiro, en el que consultaron y se aconsejaron del gran maestro, Le Corbusier. Para ellos, la definición del ideal urbanístico está fundamentada en la separación de distintas funciones por distritos, enmarca-

dos en vastos espacios naturales y en el trazado de grandes vías de circulación, lo que configura ciudades distintas a las tradicionales.

El proyecto piloto de Costa para Brasilia es de una gran fuerza expresiva, pero muy simple en su estructura. El centro de la ciudad es un triángulo equilátero de lados abombados, curvilíneos. O, como escribe el propio Costa, el plano de Brasilia se asemeja también a un pájaro gigante con las alas extendidas hacia el sureste. Las embajadas y los barrios residenciales vienen a conformar esas alas. El eje norte-sur define la

autovía de comunicación principal, a lo largo de la cual se alinean las zonas de viviendas —macizos inmuebles de pocos pisos sobre pivotes—, articuladas en unidades gigantes, las *superquadras,* que gozan de cierta autonomía gracias a sus áreas comerciales, de ocio, escuelas, espacios verdes, etc.

En el vértice y cortando este eje hacia la base, a modo de espina dorsal, se yerguen los edificios públicos, de fastuosa monumentalidad. El pico de este simbólico pájaro de Lucio Costa es la plaza de los Tres Poderes, y la cabeza, la explanada de los Ministerios. El cuerpo del ave se

divide en zonas según su función: así, el área cultural con museos, teatros y bibliotecas, el centro de esparcimiento, el sector de bancos y oficinas, los hoteles y la zona comercial.

Todas las calles de Brasilia están trazadas con tiralíneas, todo está cortado por las grandes axiales que se cruzan casi en ángulo recto, como un gesto tajante y una posesión total del entorno. La adaptación a la topografía del signo arquitectónico en busca de la lisura natural del terreno es total y la fluidez del tráfico rodado se asegura con las autovías interurbanas. Alrededor del núcleo se disponen en medio

de una gran zona verde protegida, el aeropuerto, la zona industrial, la residencia presidencial, almacenes, estadios deportivos, la estación, los cuarteles, la torre de radio y televisión. Los inmuebles del extrarradio, por su parte, se agrupan en manzanas construidas según los sobrios principios funcionalistas de Le Corbusier. La zona agrícola, donde se aplica el programa Prohort para lograr el autoabastecimiento alimenticio de Brasilia, rodea a la nueva ciudad. El lago artificial y la presa sobre el lago Paranoá sustentan la central hidroeléctrica, además de abastecer de agua a la ciudad.

FRÍA PUREZA DESNUDA DEL HORMIGÓN

En Brasilia Niemeyer se eleva a la categoría de maestro de la arquitectura y pasa a la historia. En el ideario estético de Niemeyer destaca la pureza de formas y la desnudez de las líneas, la elementalidad del hormigón al descubierto y la evidente personalidad monumental, el conocimiento de las resistencias de los materiales con grandes voladizos y los increíbles equilibrios en los pivotes sustentantes de ciclópeas masas. Asimismo, el empleo del cristal en grandes fachadas alterna con otras de intermina-

bles hileras de ventanas y la textura como satinada de algunas edificaciones. Es patente el contraste entre las masas horizontales y las verticales y, también, el encuentro entre los volúmenes rectangulares y las superficies parabólicas.

Muestras de sus inquietudes y de su sabiduría arquitectónica son las columnatas del palacio de la Alvorada –que sostienen el bloque macizo con resuelta audacia–, la pirámide truncada del edificio de la Ópera, y la catedral en forma de corola. Es notorio el contraste entre la cúpula invertida de dimensión planetaria del palacio de la Cámara de Diputados y la del Senado con sus torres gemelas. Asimismo, ejemplos de la integración en los grandes espacios de todas las artes son el Tribunal Supremo Federal, el palacio de los Tres Poderes, el de Gobierno, la explanada de los Ministerios y el panteón Kubitschek.

EL FIN DE UN SUEÑO

Desde 1960 con el fin del mandato de Kubitschek y la dispersión del equipo de arquitectos, la joven capital conoce serias dificultades, que no se han remontado hasta hoy. Las previsiones establecían una población de 500.000 a 700.000 habitantes y las ciudades-satélite

La escultura reconocida como símbolo de Brasilia es "Os Candangos", que nos muestra la fotografía superior. Debajo, el llamativo y original espacio interior de la catedral de Brasilia. A la derecha, el Palacio de Justicia.

debían acoger a la población excedente. En teoría, todo perfecto: la más moderna ciudad, empezada de la nada con toda la experiencia acumulada de distintas civilizaciones. En la práctica: el desarraigo de sus habitantes, la inflación descomunal, el abandono, al fin, de esta inspiración política de obras megalíticas. Brasilia, a la postre, es tanto una idea ilusoria, como una prodigiosa utopía arquitectónica.

Hoy, en Brasilia viven 300.000 personas con un nivel favorecido y la gran masa de brasilienses se reparte entre las siete ciudades-satélite, hasta llegar a las 900.000 almas. La principal ciudad satélite, Taguatingua, tiene medio millón de habitantes. Hay que considerar que Brasilia duplicó su población en la década de los 70 y que los puntos de abastecimiento alimentario más próximos se hallan a 600 kilómetros, lo que encarece su transporte y favorece la inflación. La demanda de vivienda supera con creces las previsiones y las normas de Costa y Niemeyer se transgreden en el mayor desorden. Así, se sobrepasan la alturas per-

mitidas, se modifican las calles, se edifica en espacios verdes, hechos todos que modifican un paisaje monumental de una excepcional calidad inicial.

Esta amenaza ha provocado la creación en 1981 de un grupo de trabajo para la preservación del patrimonio cultural de la ciudad. La creación de Brasilia, por la enormidad de la empresa, la desmesura del proyecto y lo titánico de su levantamiento es sin duda uno de los mayores hitos de la historia del urbanismo.

ÓSCAR NIEMEYER

Nacido en Río de Janeiro en 1907, se gradúa en arquitectura en 1934 y al poco sucede a Lucio Costa como arquitecto director de la construcción del nuevo ministerio de Educación en su ciudad natal, proyecto en el que colabora Le Corbusier, quien ejerce una total influencia en él. La riqueza formal de las obras de Niemeyer, la elegancia de sus líneas audaces, modernísimas y sólidas, ya se manifiesta en el pabellón brasileño de la feria de Nueva York de 1939 o en el conjunto de edificios de Pampulha, donde se integran la escultura y la pintura. Forma parte en 1947 de la comisión que construye el palacio de las Naciones Unidas en Nueva York. En los años 50 realiza su obra cumbre: los edificios públicos de Brasilia. Desde 1962 reside en Francia. En 1968 firma la sede de la editorial Mondadori en Milán y, después, la Casa de la Cultura de El Havre, entre otras realizaciones. Asimismo, ha trabajado en Argel y Líbano. Desde 1977, alterna sus trabajos entre Europa y Brasil. Así, firma proyectos en Turín y Vicenza, y realiza la terminal de autobuses de Paraná, el museo Antropológico de Belo Horizonte y otras construcciones en Brasilia, Río de Janeiro y Sao Paulo.

CIUDAD HISTÓRICA DE OURO PRETO

BRASIL

- ❖ **Nombre:** Ciudad histórica de Ouro Preto (Brasil).
- ❖ **Declaración Patrimonio:** 1980.
- ❖ **Situación:** en el estado de Minas Gerais, 250 km al norte de Río de Janeiro; en los 20°23' de latitud sur y los 43°30' de longitud oeste.

 n 1494, España y Portugal firmaron un curioso tratado por el que se repartían el mundo a conquistar. España se quedaba con todo el continente americano, a excepción de una parte de lo que hoy es Brasil. Sin embargo, durante más de dos siglos la colonización portuguesa en tan inmenso territorio se limitó a una estrecha franja costera, quedando el interior en manos de los *bandeirantes*, aventureros mestizos que desde su cuartel general en Sao Paulo organizaban batidas en busca de esmeraldas y de indios a los que vender como esclavos.

Esta situación cambió radicalmente a partir de 1690, cuando el azar puso en manos de un *bandeirante* un puñado de pepitas del oro más fino que se conoce, el llamado oro negro, que puede alcanzar los veintitrés quilates. Procedían de las arenas de un río al que se dio por ello el nombre de Ouro Preto –"oro negro"–, que más tarde heredaría una ciudad, la primera capital de la Capitanía de Minas Gerais,

surgida al calor de esta fiebre del oro que durante el siglo XVIII sacudió hasta los cimientos toda la sociedad portuguesa.

DE CAMPAMENTO MINERO A CIUDAD

Procedente de todos los puntos de la colonia, y también de la metrópoli, una inmensa riada humana se puso en

LA "INCONFIDENCIA MINEIRA"

El endurecimiento de la presión fiscal sobre los beneficios mineros desencadenó en 1789 en Ouro Preto esta sublevación contra el dominio portugués, considerada como el primer brote independentista brasileño. Los conjurados, entre los que se contaban magistrados, poetas, terratenientes y comerciantes, proyectaban instaurar una república, pero la rebelión fue descubierta antes de estallar, y sus dirigentes detenidos. Aunque seis de ellos fueron condenados a muerte, finalmente sólo el alférez Joaquim José da Silva Xavier, llamado "Tiradentes" por su pasado de sacamuelas, el único que no se retractó de sus ideas durante el juicio, fue ahorcado en 1792, convirtiéndose en el más temprano héroe de la independencia del Brasil.

En las páginas anteriores, la plaza principal de la ciudad y la iglesia de San Francisco de Asís (doble página), una de las más famosas iglesias de Ouro Preto cuyos pórticos y esculturas de esteatita fueron realizados por el Aleijadinho. Junto a estas líneas, dos aspectos de esta ciudad barroca construida en la montaña, en las proximidades de los filones auríferos.

marcha hacia este nuevo Eldorado en el que cada día se descubrían nuevas minas de oro y diamantes. El éxodo alcanzó tal intensidad, que en menos de un cuarto de siglo Portugal perdió casi la mitad de su población, y el gobierno se vio obligado a poner límites a la emigración, aunque sólo el agotamiento de las minas, a partir de 1750, pudo frenarla. Y mientras la metrópoli se despoblaba, en la región de Minas Gerais surgían una tras otra ciuda-

des jóvenes y pujantes, muy alejadas de la rígida estratificación social de las colonias costeras. Blancos, mestizos y negros, aventureros y comerciantes, antiguos esclavos y nuevos ricos conformaban esta sociedad en la que no se reconocía otra aristocracia que el haber tenido suerte en las prospecciones.

Nuevo centro de poder económico, Minas Gerais pasó también a convertirse en uno de los primeros focos artísticos del

Brasil, arrebatando la primacía a las ciudades costeras. Surgió en ella una variante propia del barroco, la "arquitectura minera", que tuvo su centro principal en la futura ciudad de Ouro Preto, por entonces todavía Vila Rica de Albuquerque.

Oficialmente, la ciudad había sido fundada por edicto real el 15 de diciembre de 1712, pero en realidad existía mucho antes, como un puñado de campamentos mineros –*arraiais*– situados a lo largo del

El colorido de las casas de esta ciudad, junto con los dinteles curvos y la ondulación de las ventanas y balcones evocan vagamente al barroco, pero son sobre todo las iglesias las que manifiestan un barroco tardío impregnado de un cierto clasicismo.

lo como una Capitanía independiente, y Vila Rica fue su capital.

LA CAPITAL REBELDE

Como todas las sociedades de pioneros, Minas Gerais no fue nunca un territorio fácil de someter. El siglo del oro fue también el de las rebeliones, en las que se advertía ya un incipiente sentimiento nacionalista que prefiguraba la futura independencia del país. Ya en los primeros años de la colonia, la guerra de las *Emboabas* enfrentó a los pioneros paulistas de la región con los nuevos inmigrantes brasileños y portugueses, que llegaban por centenares, atraídos por el señuelo del oro. En 1720 estalló la insurrección de Vila Rica, oponiéndose a las nuevas leyes que pretendían controlar la circulación de oro y aumentar el porcentaje que correspondía a la Corona. Finalmente, ya en la penúltima década del siglo, Ouro Preto fue de nuevo escenario de la más célebre y organizada de las rebeliones, la llamada *Inconfidência Mineira*, que a pesar de su nombre tuvo su origen entre las clases acomodadas de la ciudad, influenciadas por los ideales de la Revolución Francesa. Un nuevo incremento de la presión fiscal fue, también esta vez, la chispa que hizo saltar el ansia de libertad de los brasileños, que aún tardaría casi un siglo en concretarse.

valle del río Funil, entre las cadenas montañosas de Ouro Preto e Itacolami. Uno de ellos, el *Arraial das Minas Gerais de Ouro Preto* –Campamento de las Minas Generales del Oro Negro–, se convertiría en núcleo de la ciudad a la que acabaría dando nombre. Por entonces, la región dependía aún de la *Capitania de Sao Paulo e Minas do Ouro*, pero su importancia creciente hizo que en 1720 Minas Gerais fuera segregada de Sao Pau-

Ocurría esto en el momento más brillante de la historia de Vila Rica, convertida en un centro cultural de primer orden en el que florecían, no sólo las artes plásticas, sino también la música y la literatura. Poco después se iniciaría su imparable declive, ligado al agotamiento de las minas. Con los primeros años del siglo XIX perdió gran parte de su población, desplazada hacia las zonas ganaderas del sur, e incluso su nombre: en 1823 pasaba a llamarse Ouro Preto. Finalmente, perdería también la capitalidad del estado de

Minas Gerais, transferida a Belo Horizonte en 1897. Sin embargo, la instalación de escuelas de formación superior durante el siglo XIX, y el auge del turismo ya en el XX salvaron su economía del hundimiento total, aunque nunca volvería a recuperar el esplendor de su época minera.

A LO LARGO DEL RÍO

La estructura urbana de Ouro Preto revela su origen múltiple y su falta de planificación previa. El antiguo camino, paralelo al río, que enlazaba los campamentos mineros, se convirtió en el eje longitudinal de la ciudad, formando en su intersección con otro eje transversal menor la plaza principal, hoy plaza Tiradentes, en la que se sitúan los edificios que un día representaron el poder civil: la Residencia de los Gobernadores –actualmente Escuela de Minas–, y la Casa de Cámara y Cárcel, que hoy alberga el Museo de la Inconfidência.

En torno a este núcleo central, el centro histórico aparece configurado por calles estrechas y con frecuencia empinadas, debido a su ubicación en las laderas de la montaña. A lo largo de ellas se alinean casas de una o dos plantas, con muros encalados y dinteles de colores, en ocasiones decoradas con curvos balcones de rejería que remiten a la época barroca en que fueron construidas. Numerosas iglesias caracterizan el casco urbano, destacando sus torres y campanarios sobre el mar de tejas ondulantes que cubre las faldas del monte Itacolami. Precisamente estas iglesias forman el conjunto artístico más notable de Ouro Preto: en ellas, el barroco minero se revela como un estilo con personalidad propia, más cercano al rococó que el resto de la arquitectura luso-brasileña.

Gran parte de estas diferencias se deben a una circunstancia aparentemente ajena al ámbito artístico. En 1711 un singular decreto de João V prohibía el asentamiento de órdenes religiosas en todo el territorio de Minas Gerais. La religión quedó así en manos de las parroquias y de las cofradías o hermandades, instituciones de origen medieval que adquirieron enorme desarrollo en la sociedad minera, donde sirvieron para encauzar la rebeldía siempre latente frente a los poderes civil y eclesiástico. Hubo cofradías de negros, de blancos o mixtas; todas sufragaron iglesias que rivalizaban en esplendor y dieron

Las casas de la ciudad de Ouro Preto, de uno o dos pisos, acomodadas a la topografía del accidentado terreno, presentan un aspecto homogéneo, con el color blanco de los muros rotos por elementos de madera coloreados. Arriba la iglesia de Nuestra Señora del Cármen.

El alargado conjunto urbanístico de Ouro Preto se caracteriza por su informal estructura urbana, por su trazado espontáneo formado por la unión de los antiguos campamentos de los buscadores de oro y por su original emplazamiento en la pendiente de la montaña.

su sello característico al arte de la región de Minas.

El arte de las cofradías

Desde el punto de vista arquitectónico, la sustitución de los grandes complejos conventuales por las iglesias aisladas de las cofradías tuvo dos importantes consecuencias: por un lado, la rivalidad entre las cofradías favoreció un barroco

más suntuoso y recargado que en otras regiones; por otro, el hecho de tratarse de iglesias exentas permitió que fueran diseñadas con total movilidad de formas, desarrollando las posibilidades que ofrecían las plantas curvas. Tal es el caso de la iglesia del Rosario, sufragada por una cofradía de negros, se dice que gracias al polvo de oro que los esclavos lograban esconder entre sus cabellos. Los planos se deben a Antonio Pereira de Sousa, y la fachada a Francisco Araujo. Influencias

italianas y centroeuropeas parecen estar en el origen de esta obra única, con planta de doble elipse y fachada curva flanqueada por dos torres cilíndricas. En el conjunto de Ouro Preto, sólo la iglesia de San Francisco de Asís admite comparación con ella. Se atribuye generalmente al genio de Antonio Francisco Lisboa, el *Aleijadinho*, aunque no hay documentos que lo confirmen. Las obras de San Francisco se iniciaron en 1766, el mismo año en que nuestro artista, a la muerte de su padre, se

hizo cargo de su taller y del encargo de la iglesia de la Orden Tercera del Carmen, donde comenzó a brillar con luz propia su genio de escultor, que alcanzaría sus más altas cotas en el santuario del Bom Jesus de Matozinhos, en Congonhas do Campo. Aunque en San Francisco sólo consta como autor del retablo, su sello inconfundible parece adivinarse en todo el conjunto, presidido por una portada con torres circulares retraídas y frontón partido, en la línea del mejor rococó europeo.

Precedidas por amplios atrios y situadas en lugares elevados, es evidente que todas las iglesias de Ouro Preto fueron concebidas como un símbolo del poder y del orgullo de las cofradías que las sufragaron. Esto es particularmente ostensible en los interiores, que adquieren cierto aspecto de sala de ópera, con palcos flanqueando la nave y recargadas decoraciones en las que predominan las tallas en madera dorada, aunque tampoco faltan magníficas pinturas murales, como las que decoran la iglesia de

San Francisco de Asís. El punto de originalidad lo aporta en este caso la iglesia de Nuestra Señora del Carmen, que a más de haber sido la cancha donde se estrenó de escultor el *Aleijadinho*, es también la única en Minas Gerais decorada con azulejos portugueses, demostrando así que la influencia de la lejana y tantas veces rechazada metrópoli nunca dejó, sin embargo, de estar presente en las raíces de un arte tan independiente como el barroco minero de Ouro Preto.

Santuario del Bom Jesus en Congonhas

Brasil

❖ **Nombre:** Santuario del Bom Jesus en Congonhas (Brasil).
❖ **Declaración Patrimonio:** 1985.
❖ **Situación:** en el estado de Minas Gerais unos 70 km al sur de Belo Horizonte; en los 20° 29' de latitud sur y los 43°51' de longitud oeste.

Sobre un cerro próximo a Congonhas do Campo, municipio del estado brasileño de Minas Gerais, se alza el santuario del Bom Jesus de Matozinhos, construido a mediados del siglo XVIII y decorado con dos conjuntos escultóricos que constituyen la obra cumbre del genial Antonio Francisco Lisboa, el *Aleijadinho*. Durante la época colonial, ningún otro escultor americano supo alcanzar la intensa expresividad y patetismo de sus obras, sólo comparables a las del mejor barroco europeo.

Durante la Edad Media, ante la imposibilidad de acudir a Tierra Santa, surgió la idea de la peregrinación sustitutoria, para lo cual comenzaron a construirse santuarios que reproducían las estaciones del vía crucis, a veces con gran fidelidad a la estructura real del monte Gólgota, culminando en un Calvario. A este tipo pertenece el conjunto de Congonhas.

La iglesia y sus modelos

Los modelos de este conjunto de Congonhas fueron los santuarios del Bom Jesus do Monte, cercano a Braga, y del Bom Jesus de Matozinhos, en las afueras de Oporto. Como ellos, consta de tres partes: la iglesia propiamente dicha, un amplio *adro* –atrio– con escalinatas flanqueadas por imágenes de profetas, y un conjunto de seis capillas que contienen tallas en madera y representan las estaciones del vía crucis.

Como tantos otros monumentos de la misma región y época, el santuario de Congonhas tuvo su origen en la devoción de un minero, en este caso el portugués Feliciano Mendes. Curado milagrosamente de una grave enfermedad en 1757, decidió dedicar su fortuna y el resto de su vida a construir un

santuario. Sin embargo, la muerte le sorprendió en 1765, apenas iniciado el proyecto, que quedó en manos del obispo de Mariana y hubo de esperar aún cuarenta años hasta que pudo darse por concluido.

La iglesia, completada en 1772, presenta una estructura sencilla, en la línea de las primeras edificaciones religiosas de Minas Gerais. Sin embargo, tras la muerte de Mendes se le añadió una suntuosa decoración interior de estilo rococó, directamente inspirada en modelos italianos, que transformó por completo su apariencia original.

En 1770 se iniciaron las obras del atrio, cuya decoración escultórica, así como los seis pasos para las estaciones del vía crucis, fueron encargados al artista más célebre del momento: el mulato Antonio Francisco Lisboa, conocido como el *Aleijadinho* –"lisiadito"– por la enfermedad que sufrió en sus últimos años, probablemente una variedad de lepra que fue progresivamente deformando y mutilando sus miembros. Esta circunstancia, unida a su genio como arquitecto y escultor, han hecho que en torno a su figura se tejieran todo tipo de leyendas, a veces difícilmente distinguibles de la realidad.

ALEIJADINHO, VIDA Y LEYENDA

ijo de Manuel Francisco Lisboa, arquitecto y tallista portugués, y de
la esclava negra Isabel, el *Aleijadinho*
nació en Ouro Preto en 1738. Aprendió el
oficio en el taller de su padre, del que se
haría cargo a su muerte en 1766, alcan-
zando enorme fama como arquitecto, pero sobre todo como escultor. Se ha dicho
–y aquí la realidad comienza a adquirir
ribetes de leyenda– que fue la *cardina*,
una droga destinada a potenciar la creati-
vidad artística, la causante de su enfermedad, que sin embargo no le impidió seguir
trabajando. Sus mejores obras, singularmente el Bom Jesus de Matozinhos, son
fruto de esta época en la que se dice que
sus ayudantes llegaron a tener que atar-
le las herramientas a los muñones en
que se habían convertido sus manos. En
realidad, el vigoroso estilo de las esculturas de Congonhas se debe más a la
inspiración del *Aleijadinho* que directamente a sus manos, en particular las
estatuas de profetas que decoran el
atrio, realizadas entre 1800 y 1805,
cuando el maestro se encontraba ya
muy debilitado por su enfermedad. Al
parecer, la composición general del

conjunto y de cada estatua, así como la
talla de las cabezas y manos, son obra
directa de Lisboa, mientras que el resto se
debe a los hábiles oficiales de su taller.

El conjunto consta de doce estatuas,
talladas en *pedra-sabao* –"piedra jabón",
una variedad de esteatita muy abundante
en la zona–, y dispuestas a lo largo de las
escalinatas que llevan al santuario según

un elegante esquema que tiene inequívo-
cas resonancias teatrales. Los doce profetas, en cuyas cartelas se detallan sus nombres e historias, semejan los personajes de
un ballet cuya función no es sólo estética,
sino también alegórica, ya que la progre-
sión de la escalinata hacia el santuario
parece representar los grados de la vida
mística. La posición exacta de cada profe-

de sus oficiales entre 1796 y 1800, cuando todavía no estaban construidas las capillas que debían albergarlos. Originalmente se habían proyectado dos series de capillas, siguiendo el modelo del Bom Jesus de Braga: una en la parte anterior del santuario, dedicada a la Pasión, y otra en la posterior con la Resurrección como tema. Finalmente sólo se llegaron a construir, entre 1800 y 1818, seis de las siete capillas de la primera serie, motivo por el cual una de ellas alberga actualmente dos pasos. Sobre la puerta de cada capilla, una inscripción remite a la cita evangélica correspondiente al episodio representado, aunque en algunos casos falta la referencia del evangelista y el capítulo o versículo.

Los pasos están formados por un total de sesenta y seis imágenes, talladas en madera de cedro y policromadas, y representan las estaciones típicas del vía crucis: la Última Cena, Cristo en el Monte de los Olivos, el Prendimiento, la Flagelación y Coronación de Espinas —estas dos últimas comparten la misma capilla—, el Camino del Calvario y la Crucifixión. El Cristo yacente que se encuentra en el interior del santuario, al pie del altar mayor, representa, en cierto modo, la octava estación,

ta, su actitud y aun sus rostros, cargados de expresividad, cumplirían un papel muy concreto dentro de este contexto que responde a los ideales de la Contrarreforma. Se ha sugerido también que los rostros de los profetas podrían corresponder a miembros de la conjura de la Inconfidencia, en la que tal vez estuvo comprometido el *Aleijadinho,* siendo Jonás el

líder de la rebelión, *Tiradentes,* y Amós el propio escultor.

EL CAMINO DEL DOLOR

Similar organización escenográfica presentan los pasos de la Pasión, realizados por Antonio Francisco Lisboa y dos

El santuario está formado por una iglesia con
una suntuosa decoración interior en rocalla
de estilo rococó, inspirada en los modelos
italianos (derecha) y un atrio, que el famoso
escultor Aleijadinho se encargó de decorar
entre los años 1800 y 1805, con doce estatuas
de profetas, una de las cuales nos muestra la
fotografía de la izquierda. Abajo, uno de los
"passos" del Aleijadinho, que representa la
Crucifixión de Cristo.

y hubiera servido de enlace entre las capillas de la Pasión y las de la Resurrección,
de haberse construido éstas.

Aunque con algunos rasgos tomados
de la imaginería gótica, como el esquema-
tismo de barbas y cabellos y el plegado
anguloso de las túnicas, los pasos de Congonhas pertenecen plenamente al ámbito
de la escultura barroca por la fuerte expresividad de sus figuras, particularmente
cuando se trata de representar el dolor, un
sentimiento que sin duda el *Aleijadinho*
conocía bien. A él se atribuye la talla de
las imágenes principales de cada paso
—Cristo, los Apóstoles o la Magdalena—,
siendo las figuras secundarias obra de sus
ayudantes. Sólo el paso del Prendimiento,
una escena de intenso patetismo en que
la policromía subraya eficazmente el carácter de los diversos personajes, parece
ser íntegramente obra del maestro. En
todos ellos, sin embargo, se advierte su
huella en la disposición espacial de las
figuras, según un esquema teatral que
permite al visitante integrarse en la escena
que contempla como si asistiera a la representación de un drama, gracias a la
extraordinaria movilidad del conjunto y a
la naturalidad de las figuras.

Parque Nacional de la Sierra de Capivara

Brasil

❖ **Nombre:** Parque Nacional de la Sierra de Capivara (Brasil).

❖ **Declaración Patrimonio:** 1991.

❖ **Situación:** en el centro-norte del país, en el estado de Piauí; entre los 8° 25' y los 8° 55' de latitud sur y entre los 42° 20' y los 42° 45' de longitud oeste.

❖ **Extensión:** 97.933 has.

El sector meridional del estado brasileño de Piauí se encuentra ocupado por tierras bajas rotas por distintas sierras o bloques de roca aislada que prestan una singular belleza escénica al conjunto. Las sierras de Capivara y Bom Jesus de Gurgeia, sin presentar una elevación excesiva, contribuyen activamente a conformar una topografía irregular, condicionada por la acción fluvial sobre un sustrato granítico. Formaciones como las *caldeiroes* y *boquieroes* —excavaciones en la roca de diferentes tamaños—, así como las *pingas* y los altos acantilados o *cuesta* son algunos de los rasgos más señalados del paisaje.

En ocasiones, aparecen mesetas elevadas conocidas por *chapadas*, un tipo de formación cristalina que va haciéndose más escaso al desplazarse hacia el oeste del Estado. La vegetación de la zona, olvidada de las exuberancias litorales que enmarcan la costa entre Recife y Salvador, está compuesta por un matorral ralo relativamente xerófilo, enmarcado en un ecosistema propio conocido por *caatinga*.

Desde hace más de dos décadas, la zona ha sido objeto de interés prioritario para arqueólogos de todo el planeta, debido a la importancia de los restos hallados en diferentes excavaciones y de las manifestaciones de arte rupestre sobre arenisca. Un punto de trabajo, la *Toca do*

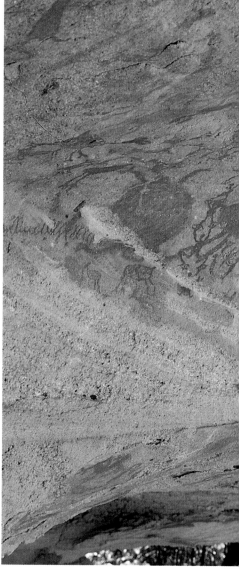

Baqueirao do Sitio da Pedra Furada ha facilitado una sucesión de restos que abarcan desde el año 50.000 a.C. hasta hace tan sólo 5.000 años.

La Toca do Sitio da Pedra Furada se sitúa en un gran abrigo rocoso natural, cuyas paredes están cubiertas de pinturas rupestres. Las excavaciones realizadas, que transcurrieron entre los años 1978 y 1988, así como las técnicas de datación basadas en el carbono-14, han permitido establecer dos unidades culturales bien diferenciadas: la fase Pedra Furada y la fase Serra Talhada.

La más antigua de estas culturas, Pedra Furada, se prolonga entre los años 50.000 y 15.000 a.C. Presenta una industria caracterizada por el empleo de materiales de piedra que tienen su origen en rocas vecinas, construidos sobre todo en cuarzo y cuarcita. La utilización de fragmentos de roca naturales como útiles es notable, pero existen también otros instrumentos que presentan ya tallas primitivas.

La fase Serra Talhada caracteriza el período Holoceno y su aparición se destaca por la utilización de materias primas ajenas al propio yacimiento, esencialmente sílex, que proviene de un macizo calcáreo situado a más de dos kilómetros.

Las pinturas rupestres de la Sierra de Capivara y el análisis de las industrias líticas y cerámicas han permitido establecer una cronoestratigrafía continuada que se remonta a hace más de quince mil años, una antigüedad excepcional en el conjunto de los pueblos sudamericanos. En la página anterior, las gigantescas rocas calizas moldeadas por la erosión eólica características del paisaje de la Sierra de Capivara.

La aparición del sílex comienza aproximadamente en el año 12.000 a.C., y llega a ser mayoritaria cuatro mil años después.

Entre los años 6.000 y 5.000 a.C. se produce una clara fractura en los restos arqueológicos. La materia prima dominante vuelve a ser el cuarzo y la cuarcita local, mientras que las técnicas de trabajado de la piedra se empobrecen drásticamente.

PINTURAS EN LA ROCA

Las primeras manifestaciones datan del 12.000 a.C. y muestran un arte narrativo, lúdico, que trata sobre temas cotidianos o sobre ceremonias o mitos. Se trata del período Nordeste, libre y alegre. Una evolución posterior lleva a aumentar la ocupación de las paredes, así como hacia formas de arte más formales, ricas y cuidadas, que dominan las técnicas del dibujo y la pintura. Cuando los pueblos de la tradición Nordeste alcanzan su apogeo, su arte refleja las primeras escenas de violencia: ejecuciones, luchas, batallas.

El cambio litológico descrito se corresponde también con un brusco cambio artístico, que se vuelve pobre, de mala factura, con algunas figuras humanas rígidas y estáticas. Se trata del período Agreste, extendido por todo el nordeste del Brasil.

Se ignoran todavía muchos detalles de las formas de vida y costumbres de los

pueblos de la Sierra de Capivara. Poseían túmulos funerarios bien desarrollados y practicaban enterramientos secundarios en urnas o en la propia tierra. A pesar de la diversidad de tipos de tumbas, un hecho se repite en todas ellas: la cabeza recibía un trato diferente, era separada del cuerpo y enterrada 20 o 30 centímetros por encima del cuerpo. Iba siempre cubierta, bien por una calabaza cortada por la mitad, bien por un recipiente de cerámica.

Los yacimientos arqueológicos de la Sierra de Capivara guardan todavía muchas sorpresas, que facilitarán la comprensión de los primeros pobladores de la región del sureste del Brasil.

PARQUE NACIONAL DE LAS ISLAS GALÁPAGOS

ECUADOR

- ❖ **Nombre:** Parque Nacional de las Islas Galápagos (Ecuador).
- ❖ **Declaración Patrimonio:** 1978.
- ❖ **Situación:** en el océano Pacífico; entre los 1° 36' de latitud sur y los 1° 40' de latitud norte y entre los 89° 16' y los 92° 01' de longitud oeste.
- ❖ **Extensión:** 7.812 has.

stas islas situadas en medio del Pacífico, frente a las costas del Ecuador, fueron descubiertas el 23 de febrero de 1535 por el obispo dominico Tomás de Berlanga. Trescientos años después fueron visitadas por Charles Darwin. Allí, con su increíble capacidad observadora, se hizo esta pregunta: ¿Por qué los pinzones y las tortugas de cada isla de las Galápagos son diferentes a pesar de que las condiciones físicas de estas islas, cercanas entre sí, parecen semejantes?

Fue precisamente la observación y el estudio de los grandes galápagos y de los especializados pinzones de estas islas lo que inspiró a Darwin alguna de las ideas de su teoría sobre la evolución.

Las islas Galápagos, denominadas oficialmente Archipiélago de Colón, constituyen parte del territorio del Ecuador enclavado en pleno océano Pacífico. El mayor paralelo de la Tierra (0°), el Ecuador, divide al archipiélago en dos secciones: la septentrional comprende la parte norte de la isla Isabela, la de mayor superficie, y las islas Marchena, Pinta, Genovesa, Wolf y Darwin, y la meridional incluye la mayor parte de las islas y las de mayor tamaño. Este conjunto, formado por 19 islas, 42 islotes y 26 rocas, está separado en línea recta del territorio continental del Ecuador por una extensión marina de 972 km.

EN EL CINTURÓN DE FUEGO

n esta zona del océano Pacífico se localiza uno de los denominados por los geólogos "puntos calientes" de la Tierra, que son áreas diseminadas por todo el planeta, en las que el magma incandescente tiende a salir y a romper la corteza terrestre, produciendo en su superficie una intensa actividad volcánica.

El archipiélago presenta un relieve realmente singular, ya que prácticamente es una capa de lava solidificada sobre la que se alzan, en las islas grandes, uno o más volcanes de apariencia montañosa. Las costas son del tipo de emersión, consecuencia directa de su origen volcánico, y se forman por la elevación de la superficie terrestre que produce la superposición de las corrientes magmá-

ticas. La acción del océano se encargará luego de formar los acantilados, playas, farallones..., propios de las primeras etapas de la evolución de estas costas de emersión.

Las islas Galápagos forman actualmente una de las zonas de mayor actividad volcánica oceánica en todo el mundo. Concretamente, los volcanes de las islas Isabela y Fernandina, los más recien-

tes en cuanto a su génesis, son precisamente por eso los más activos de todos.

En Galápagos, ni los manantiales ni las lluvias son suficientes para originar cursos constantes de agua superficial. Sin embargo, existen, y muy ligados al vulcanismo, lagos interiores que ocupan los cráteres y que son de agua salada. La isla de Santiago es la que posee el mayor número de formaciones lacustres, las cua-

les están también presentes en Fernandina, Isabela, San Cristóbal y Genovesa.

LAS CORRIENTES MARINAS

La clave para comprender las características ecológicas que hacen de estas islas un lugar único en la Tierra, debe buscarse en las corrientes marinas que bañan sus costas. De junio a noviembre, el archipiélago es batido por las frías aguas de la corriente sudecuatorial, formada por la combinación de la corriente peruana costera, o corriente de Humboldt, y la corriente peruana oceánica, altamente salina.

Ayudadas por los alisios del sudeste, las dos corrientes se dirigen en la segunda mitad del año hacia el norte, y al llegar frente a las costas del Ecuador se fusionan en una sola, que, tomando rumbo este a oeste, se denomina corriente sudecuatorial. Es entonces la estación fría, que los ecuatorianos denominan *garúa,* pues las aguas, que se caracterizan por su elevada salinidad (34,5 a 35‰), no superan una temperatura media de 22°, mientras que en tierra también bajan apreciablemente las temperaturas.

. Durante los meses de agosto y septiembre, principalmente, hace su presencia en el medio marino del archipiélago la corriente de Cromwell, o corriente interna ecuatorial, que es el contraflujo de la corriente sudecuatorial. Su importancia ecológica es manifiesta, ya que, al tratarse de aguas frías superficiales, de un espesor aproximado de 200 m y con gran salinidad, son responsables de la gran riqueza de vida marina.

De diciembre a mayo, las costas del archipiélago son bañadas por la corriente cálida del Niño, que se origina en las aguas del golfo de Panamá y es impulsada de norte a sur por los vientos alisios del noroeste. Esta corriente se caracteriza por la presencia de aguas cálidas superficiales, con 29° de temperatura máxima, y una baja salinidad. Es entonces la época calurosa o estación lluviosa, durante la cual se producen las mayores precipitaciones, principalmente en las cotas más elevadas de los volcanes.

Son, pues, las corrientes marinas las responsables de estas condiciones ecológicas únicas, que permiten convivir en la tierra y en el mar a especies procedentes de diferentes regiones biogeográficas.

¿Pero, cómo han llegado esas especies vegetales y animales a estas tierras emergidas, perdidas en medio del océano? La única explicación posible es que las especies, uti-

lizando diferentes vehículos y caminos, han atravesado los casi mil kilómetros de mar que las separan de tierra firme.

La teórica dificultad de atravesar este ancho brazo marino no es tal para las aves ni para los reptiles y mamíferos marinos, que fácilmente pueden cubrir esa distancia. Las plantas han sido llevadas al archipiélago por las corrientes marinas, mientras que muchas esporas y pequeños insectos han sido transportados por los vientos alisios. Pero es indudable que la distancia que las separa de tierra firme ha actuado como una auténtica barrera natural, por lo que la selección de especies animales y vegetales que hoy viven en Galápagos está en relación directa con su capacidad de soportar y sobrevivir a largos trayectos en el mar. Esto explica la ausencia de anfibios, incapaces de sobrevivir mucho tiempo en aguas saladas y, por el contrario, la gran cantidad de aves que existe. Los mamíferos terrestres son también muy escasos pero en cambio, los reptiles son más abundantes, ya que su bajo metabolismo les permite soportar mejor las privaciones de un largo viaje.

Al llegar las especies a estos nuevos ecosistemas insulares ocuparon sus habituales nichos ecológicos, pero muchos otros nichos quedaron vacíos. Ello ha permitido el fenómeno de especiación, por el cual las especies se fueron diversificando y ocupando los nichos vacíos. Esta especialización y el estar formado el ecosistema sólo por unas pocas especies animales y vegetales aisladas, hacen que aquél sea enormemente vulnerable y que cualquier acción exterior tenga repercusiones imprevisibles.

EL MUNDO VEGETAL

En este conjunto singular de islas pueden diferenciarse varias comunidades vegetales. Se observa una zona litoral con manglares que ocupa el área

UN PARAÍSO A CONSERVAR

Desconocidas estas islas durante miles de años, su ecosistema había adquirido un equilibrio perfecto, en el que la especialización de los vertebrados alcanzó características únicas en el mundo, pero la llegada del hombre fue nefasta para este frágil ecosistema. Piratas y pescadores de ballenas se llevaron miles de galápagos y otras especies, pero lo más peligroso fue la introducción de especies domésticas, que se asilvestraron y prácticamente aniquilaron a las especies endémicas.

Hoy convertidas en parque nacional y declaradas Patrimonio de la Humanidad y con la Estación Biológica Charles Darwin en la isla de Santa Cruz que controla las investigaciones científicas, las Islas Galápagos se nos presentan como uno de los últimos paraísos naturales que todavía se conserva casi intacto en nuestro planeta.

de las mareas y que se localiza en los esteros, bahías y ensenadas.

Desde las playas y acantilados y hasta los 100 m de altitud se extiende una faja denominada "zona árida costera" que forma una de las comunidades más extendidas del archipiélago, en la que predominan las cactáceas junto con diversos algarrobos.

En las islas grandes, entre los 100 y 200 m de altitud existe una zona de transición en la que conviven algunas cactáceas con plantas siempreverdes típicas de terrenos con más humedad. Esta comunidad vegetal se llama *Pisonia floribunda*, por su especie dominante más sobresaliente, un árbol que alcanza los 15 m de altura y que se denomina pega-pega.

Ya en las laderas de los conos volcánicos se encuentra la zona verde, también conocida con los nombres de comunidades de *Scalesia* y *Miconia*. Ambas comunidades permanecen verdes todo el año y aparecen acompañadas por numerosos musgos, hongos, líquenes y hepáticas, así como por plantas trepadoras y vistosas orquídeas y bromeliáceas.

Por último, la zona de la Pampa ocupa las cimas más altas de las Galápagos y es una formación florística de helechos y gramíneas, en la que prevalecen los primeros.

Las iguanas marinas (derecha) poseen un cuerpo adaptado a la natación en el que destaca su larga cola aplastada lateralmente. Tienen también unas glándulas conectadas con el aparato respiratorio en las que acumulan el exceso de sal que luego expulsan por las fosas nasales. Abajo, el denominado Pinnacle Rock, en la isla Bartolomé, y una iguana terrestre. A la derecha, abajo, un pájaro fragata macho durante su período de celo.

Sólo viven allí

La fauna de las islas Galápagos, debido a su aislamiento y a las adaptaciones de todo tipo que ha tenido que realizar para ocupar nichos ecológicos vacíos, se caracteriza por una gran riqueza de endemismos, muchos de ellos exclusivos de cada isla.

Los mamíferos terrestres están pobremente representados. Sólo se localizan los murciélagos (*Lasiurus brachyotis* y *Lasiurus cinereus*) y seis especies de ratones pertenecientes a los géneros *Oryzomys* y *Nesoryzomys*.

Los mamíferos marinos están representados por una foca, *Arctocephalus australis,* especie distribuida en el hemisferio austral, y por un león marino, *Zalophus californianus,* cuya área de distribución se extiende por el hemisferio norte. A las aguas territoriales de las Galápagos llegan también los cachalotes o ballenas de esperma *(Physeter catodon)* y varias especies de delfines.

Las aves son los vertebrados mejor representados en el archipiélago. En particular destacan las aves marinas, entre las que se encuentran los siguientes endemismos: el pingüino de Galápagos *(Spheniscus mendiculus),* el cormorán o pato cuervo

La clave para comprender las características únicas de estas islas debe buscarse en las corrientes marinas que bañan sus costas. Sobre estas líneas, un rebaño de leones marinos en la isla de Santa Fe y, a la derecha, un grupo de pelícanos y los característicos cactus o matas rojas de las Galápagos en la isla Plaza Sur.

(Nannopterum harrisi), el albatros *(Diomedea irrorata)*, la gaviota blanca *(Creagrus furcatus)* y la gaviota de lava o gaviota morena *(Larus fuliginosus)*.

Entre las aves terrestres se localizan también abundantes endemismos: la garza verde o garza de lava *(Butorides sundevalli)*, el gavilán de Galápagos *(Buteo galapagoensis)*, el pachay *(Laterullus spilonotus)*, la tórtola o paloma de Galápagos *(Zenaida galapagoensis)*, el papa-

moscas *(Myiarchus magnirostris)*, la golondrina *(Progne modesta)*, cuatro especies de cucuve *(g. Nesomimus)* y trece especies de pinzones, distribuidas en cuatro géneros *(Geospiza, Platyspiza, Camarhinchus* y *Certhidea)*.

El número de aves que viven durante todo el año en el archipiélago se ve incrementado por las aves migradoras que visitan periódicamente las islas. Entre ellas llegan dos depredadores, el halcón pere-

grino *(Falco peregrinus)* y el águila pescadora *(Pandion haliaetus)*.

Aunque los reptiles no son muy abundantes en especies, tienen gran importancia, ya que entre ellos se encuentran especies únicas en el mundo, como las famosas tortugas gigantes de tierra o galápagos, que han dado el nombre universal a estas islas volcánicas.

Auténticos fósiles vivientes, estas tortugas están representadas por una sola especie, *Geochelone elephantopus*, y once subespecies, que se hallan distribuidas en diferentes islas y de las cuales ocho se consideran en peligro de extinción. Animales lentos y pesados, se han encontrado prácticamente indefensos frente a las amenazas externas, como son las especies introducidas: perros, cerdos, gatos y ratas y, sobre todo, la acción del hombre a lo largo de los últimos siglos.

Las iguanas son también reptiles muy representativos de las islas Galápagos, en las que viven dos especies terrestres y una marina. La iguana marina *(Amblyrhynchus cristatus)* está representada por siete subespecies que se diferencian por su tamaño y por su coloración.

Las dos iguanas terrestres *(Conolophus pallidus* y *C. subcristatus)* viven en pequeñas colonias y durante la época de celo los machos defienden un territorio.

CIUDAD DE QUITO

ECUADOR

- **Nombre:** Ciudad de Quito (Ecuador).
- **Declaración Patrimonio:** 1978.
- **Situación:** al norte del país, en la provincia de Pichincha; en los 0° 12' de latitud sur y los 78° 29' de longitud oeste.

Quito se engasta como una joya rodeada de cumbres y volcanes con un clima privilegiado. En la capital de Ecuador el arte colonial se extiende con categoría suprema a todo el corazón urbano, conservado prácticamente igual a como era en el siglo XVIII. La ciudad forma un todo armonioso e indivisible que fragua en uno de los conjuntos más bellos y mejor conservados de Latinoamérica, en el que sobresalen la catedral y las iglesias de San Francisco y de La Merced.

La capital de Ecuador, situada a 2.818 metros, se remansa en las faldas del volcán Pichincha y de las colinas de Panecillo y de Ichimbia. Así, los españoles, una vez subyugados los indígenas, amoldaron su arquitectura a la realidad de una compleja topografía y levantaron sus mansiones y templos de ladrillo, piedra y adobe, sobre los cimientos precolombinos. Luego la ciudad acogió una relativa simbiosis de ambas culturas, la india y la española, dominada por una fuerte religiosidad artística. Las calles tortuosas y la teja de barro cocido son otras señas de identidad de esta ciudad en la que en seguida llama la atención la total ausencia de rascacielos a causa de los terremotos, como ocurre en numerosas ciudades latinoamericanas.

EXPLOSIONES DEL COTOPAXI

En su origen, Quito es fruto de las migraciones de tribus llegadas del mar, de la selva oriental y del norte. Mucho después, los indios quitus y caras permanecieron en cierto estado de independencia respecto a los incas; pero con los españoles, los aborígenes quedan condenados a la servidumbre y pierden su civilización. En

1513, Vasco Núñez de Balboa encuentra los mares del Sur, y Diego Almagro y Francisco Pizarro conciben la titánica idea de cruzar el continente hacia las costas peruanas donde Huáscar, el inca de Cuzco, ha sido derrotado por su hermano Atahualpa, señor de Quito, hijos ambos de Huayna Cápac. Pasan los años y el 16 de noviembre de 1532, Atahualpa se entrevista con Pizarro en Cajamarca, quien le hace prisionero. Dice en sus cróni-

cas el padre Juan de Velasco que esa víspera el Cotopaxi arrojó su cima por los aires en una violenta erupción contra sus laderas septentrionales. De nada vale la ira volcánica; tras ejecutar al rey indio, los combates se suceden, pero la resistencia indígena fue infructuosa.

Inmediatamente después, ambiciones y oscuras intrigas enfrentan a los hermanos Pizarro con Almagro por la pose-

sión tanto de Cuzco como de Quito, y acuden a la lucha Pedro de Alvarado, adelantado de Guatemala, y Sebastián de Benalcázar. Tras diversos combates y peripecias, el último funda en diciembre de 1534 la villa de Quito justo sobre la capital de Atahualpa. Un mes antes, el Cotopaxi había vuelto a erupcionar.

Por una real orden de 1541 la villa se eleva a ciudad y se establece el obispado.

LA SOBRIEDAD DE LOS AGUSTINOS

Al llegar al Nuevo Mundo, los agustinos pronto manifiestan su gusto por las grandes dimensiones y edifican templos que admiran por su grandiosidad y sobriedad solemnes. Sus iglesias, como las de San Francisco de Quito, son casi fortalezas defensivas con pocas aberturas exteriores. Otra característica de la arquitectura quiteña de los agustinos es el empleo alternativo de arcos de distinto tamaño en sus claustros, como en el del monasterio de San Agustín. Estos tres rasgos –espaciosidad, disposición de fortaleza y arcadas de desigual tamaño– se repiten en todas las edificaciones agustinas y se propagan por todo el virreinato de Perú.

Situada a 2.818 metros de altitud, sobre las ruinas de una ciudad inca, San Francisco de Quito fue fundada en el año 1534 por el español Francisco de Benalcázar. Constituye un excepcional ejemplo de una capital colonial, en cuyos edificios públicos se manifiesta una original fusión entre la cultura hispánica y la indígena. A la derecha, una vista general del casco urbano y, abajo, el típico mercadillo. En la página anterior, la fachada del convento de San Francisco.

Desde aquí se organizan expediciones en busca de Eldorado y de aquí parte Orellana en su busca por el Amazonas. Por fin, en 1563 se crea la primera audiencia, con Hernando de Santillán a la cabeza. El 10 de agosto de 1809, los vecinos principales de Quito declaran por vez primera en Latinoamérica la independencia de España. En mayo de 1822 Sucre dicta condiciones después de la batalla de Pichincha. Tras formar parte de la Gran Colombia bolivariana, el 13 de mayo de 1830 se funda la actual república independiente. Golpes de estado y políticas de todo signo se suceden. En 1941, en plena confrontación bélica mundial, el ejército peruano invade la provincia de El Oro y, en el protocolo de Río de Janeiro de enero de 1942, Ecuador pierde casi la mitad de su territorio.

ANDINA FLOR COLONIAL

En el primer plano de Quito, dibujado en 1734 por Dionisio Alcedo y Herrera, ya se observa que el trazado de los bloques, casas y manzanas del centro es el mismo que el actual, con pocas excepciones. El crecimiento de la población hacia el extrarradio ha preservado el corazón urbano y, de este modo, el casco

histórico es probablemente el mejor conservado de Latinoamérica; aunque algunos edificios notables requieran urgente rehabilitación.

Durante el período colonial, Quito conoció una intensa vida artística. Franciscanos –flamencos y españoles– fundaron en las ruinas del palacio de Huayna Cápac una escuela de artes y oficios para los indígenas. Esta escuela fue el germen de la que posteriormente se llamará escuela de Quito, un movimiento escultórico y pictórico de gran unidad de estilo, enmarcado completamente en la concepción española transustanciada en la inspiración indígena. Por este motivo, Quito

alberga desde su misma fundación las mejores muestras de la arquitectura colonial ecuatoriana.

El primer gran templo de la ciudad es el de San Francisco, hermano brillantísimo del homónimo de Lima, iniciado en 1535 y concluido en 1581. Sólido y macizo, entre herreriano y barroco en sus campanarios, posee ricos artesonados en su interior, entre los que destacan los de la cúpula del coro y del crucero, además de los ricos retablos repartidos por el convento. No es raro leer que su claustro de doble arquería –obra de fray Antonio Rodríguez, asimismo arquitecto del conjunto con Jo-

doco Ricke– es "uno de los más armoniosos de América". Fray Antonio Rodríguez, el más prolífico de los arquitectos de la historia quiteña, también fue el autor de la iglesia de Santa Clara, de la del Sagrario –junto a la catedral– y del santuario de la Virgen de Guadalupe de la población próxima de Guápulo.

Por su parte, la catedral, tan encantadora casi como una iglesia de pueblo, no se concluye hasta el siglo pasado, pese a iniciarse en 1572, a causa de su casi total destrucción en el terremoto de 1755. Tras su sencillo exterior, destacan los artesonados de inspiración mudéjar de gran riqueza.

Las iglesias de San Agustín y de Santo Domingo, firmadas por el español Francisco Becerra, también se empiezan en el siglo XVI y ambas conservan valiosas muestras de escultura y pintura de la escuela quiteña. Una característica de la arquitectura de los agustinos es el empleo alternativo de arcos de distinto tamaño en sus claustros lo que, sin romper la sobriedad del conjunto, da la impresión de mayor movimiento.

Del siglo XVII es el templo de la Compañía de Jesús, cuya fachada –construida una centuria después– es la cumbre del barroco con sus famosas y enormes columnas salomónicas; aunque su decoración interior en madera sobredorada y sus murales y esculturas se inscriban dentro del estilo de la escuela local. No se puede dejar de mencionar que también del siglo XVII son dos grandes conventos de la ciudad: San Diego y La Concepción. A lo largo del XVIII se dio en Quito un nuevo florecimiento en la edificación y, en consecuencia, algunas iglesias ya existentes se embellecieron con portadas prodigiosas, al igual que la de los jesuitas. Pero el ejemplo más granado de la arquitectura dieciochesca quiteña es la iglesia de La Merced, con su precioso claustro y su pasmoso y complicado retablo barroco del altar mayor.

La escultura también cuenta en Quito con tallistas renombrados, herederos de los maestros españoles, que produjeron púlpitos, sillerías, tallas y retablos para todo Ecuador. De este modo, destacan en el siglo XVII el padre Carlos con *El Crucificado* en la iglesia de San Francisco y José Olmos con *El Cristo de la Agonía* de la iglesia de Santa Clara. Numerosos retablos de la capital se deben a Bernardo Legarda y, ya a finales del XVIII, el indio Manuel Chili esculpe la *Adoración de la Virgen,* en San Francisco, o el *Descendimiento* de la catedral.

El centro histórico de Quito es el mayor de América Latina y el menos modificado. Arriba, la plaza y la iglesia de Santo Domingo. A la derecha, el retablo del monasterio de la Merced. Abajo, el actual teatro Sucre, una de las calles acomodadas a la compleja topografía del terreno y el claustro del monasterio de La Merced.

En el terreno pictórico sobresalen el dominico fray Pedro Bedón con su *Virgen de la Escalera,* en la iglesia de Santo Domingo, y Miguel de Santiago con su *Inmaculada de la Santísima Trinidad,* en el convento de San Francisco.

Tres centurias prodigiosas han fraguado en Quito una armoniosa personalidad, acorde con su papel histórico como sede de la audiencia ecuatoriana primero, germen de la independencia latinoamericana después y luego capital de la nación.

PARQUE NACIONAL SANGAY

ECUADOR

- **Nombre:** Parque Nacional Sangay (Ecuador).
- **Declaración Patrimonio:** 1983.
- **Situación:** sobre la cordillera Real andina, en las provincias de Morona, Santiago, Chimborazo y Tungurahua; entre los 1° 27' y los 2° 15' de latitud sur y entre los 78° 4' y los 78° 31' de longitud oeste.
- **Superficie:** 270.000 has.

na primera ojeada sobre el mapa de Ecuador muestra tres regiones perfectamente definidas: la sierra, formando un eje longitudinal sobre el espinazo de los Andes, la costa y las tierras orientales, nexo de unión entre las alturas andinas y los llanos amazónicos. Si, centrados ya sobre la sierra, se amplía la escala de observación, puede apreciarse que en realidad existen tres cadenas diferentes, paralelas entre sí y que definen entre ellas callejones alargados de anchuras variables. Las cordilleras Occidental y Central —llamada también esta última Real— presentan las máximas elevaciones, en forma de volcanes todavía activos.

Tierra de compleja orografía, de sierras, picos y quebradas imposibles, presenta un soporte geológico en el que predominan los gneiss, esquistos cristalinos y granitos. Sobre este soporte se acumulan los materiales y derrubios de origen volcánico, provenientes de los numerosos conos que jalonan la sierra. Y sobre este escenario de gigantes geológicos se sitúa el Parque Nacional Sangay, que encierra dentro de sus 270.000 hectáreas cuatro volcanes que superan de largo los 4.000 metros de altura.

VOLCANES, PÁRAMOS Y SELVAS

Citados de norte a sur, los volcanes Tungurahua, de 5.016 m y también activo, Cerro Altar con 5.319 m, Sangay y Ayapungo de 4.350 m forman el esqueleto de la cordillera Real andina en este sector. El pico Sangay, además de constituir el techo del parque con sus 5.410 m, es considerado como el volcán del planeta que durante más tiempo ha mantenido una actividad ininterrumpida.

Los guarismos anteriores condicionan un gradiente altitudinal muy acusado en el parque nacional, que va desde los

apacibles prados ganaderos situados apenas a mil metros sobre el nivel del mar hasta las inhóspitas alturas de los volcanes y áreas glaciales. Entre medias queda, del lado occidental de la cordillera, una espesa selva nubosa, que se beneficia de precipitaciones cercanas a los 3.000 mm anuales. Tan alta pluviosidad es debida al efecto de barrera que presenta el espinazo andino para las masas húmedas oceánicas. Las zonas superiores se encuentran dominadas por un desierto frío, carente de otra vida que un puñado de líquenes y hierbas adaptadas a condiciones extremas, conocido por el páramo andino. Más allá se sitúan las cumbres volcánicas, formando el eje central de la cordillera.

Las dos cordilleras principales del callejón interandino se encuentran unidas transversalmente de trecho en trecho por macizos montañosos conocidos por nudos, a manera de travesaños de una gigantesca escalera. Entre los nudos se encuentran tierras bajas mal comunicadas, llamadas hoyas, que generalmente toman el nombre del río que recoge las aguas de la cuenca. Dentro del Parque Nacional Sangay destacan por su espectacularidad las hoyas del Montalus y el Upande, to-

De una belleza natural excepcional, este parque nacional que ocupa una superficie aproximada de 270.000 hectáreas alberga diferentes ecosistemas altitudinales que van desde el bosque húmedo tropical hasta el páramo y los glaciares (fotografía de la página anterior). Las fotografías de estas páginas nos muestran una planta característica de la selva nubosa, el amenazado gallito de las rocas y una de las extensas zonas volcánicas del parque nacional.

rrente que después de correr en su curso superior de oeste a este, se ve obligado a dar un brusco giro y a deslizarse en sentido norte-sur para esquivar la cordillera Cutucú, que flanquea el Sistema Central por el oeste.

La caída hacia el este es menos brusca, y la montaña se desgrana en una serie de cadenas menores que, lentamente, van descendiendo hacia las selvas amazónicas. Es éste el sector del bosque de lluvia amazónico, un tapiz vegetal interminable que encuentra en Sangay uno de sus mejores reductos inalterados. La somera descripción efectuada muestra que el parque nacional encierra cuatro de las principales formaciones de Ecuador: zonas volcánicas y glaciares, pá-

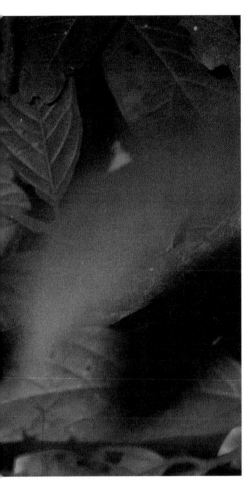

LOS PASOS PERDIDOS.

ALEJO CARPENTIER

"*El vehículo, en ascensión tenaz, se minimizaba en el fondo de los desfiladeros, más hermano de los insectos que de las rocas, empujándose con las redondas patas traseras. Era de día ya, y entre las cimas adustas, con asperezas de sílex tallado, se atorbellinaban las nubes en un cielo transtornado por el soplo de las quebradas. Cuando, por entre las hachas negras, las divisiones de ventiscas y los peldaños de más arriba, aparecieron los volcanes, cesó nuestro prestigio humano, como había cesado, hacía tiempo, el prestigio de lo vegetal ... Estábamos sobre el espinazo de las Indias fabulosas, sobre una de sus vértebras, allí donde los filos andinos, medialunados entre sus picos flanqueantes, con algo de boca de pez sorbiendo las nieves, rompían y diezmaban los vientos que trataban de pasar de un océano a otro. Ahora llegábamos al borde de los cráteres llenos de escombros geológicos, de pavorosas negruras o erizados de peñas tristes como animales petrificados ...*"

ramo, selva nubosa y bosque de lluvia amazónico.

VENTAJAS DEL AISLAMIENTO

Uno de los rasgos más destacados de la selva nubosa subtropical es su gran diversidad, superior a la de cualquier otra parte del planeta. El bosque se mantiene siempre verde y pueden encontrarse flores y frutos en cualquier estación del año. Los árboles aparecen cargados de plantas parásitas, bromeliáceas, orquidáceas y lianas, mientras que la mayoría de los troncos parecen un microjardín tapizado de musgos, líquenes y trepadoras. La estratificación del bosque en pisos de vegetación es difusa, dando el conjunto la sensación de una tupida y enmarañada cortina verde. Dos especies forestales merecen particular atención, tanto por su magnífico porte como por la excelente calidad de sus maderas: el cedro (*Cedrela odorata*) y la caoba (*Swietenia macrophyla*). Junto a ellas son abundantes en Sangay la lupuna (g. *Chorisia*), el guacimo o papa-yillo (*Guazuma ulmifolia*) y el lagarto caspi (*Calophyllum brasiliense*).

El aislamiento y las dificultades de acceso al parque permiten la presencia de buenas poblaciones de fauna, entre la que se incluyen especies amenazadas. Las dos joyas faunísticas de Sangay, referencia obligada para los viajeros que recorren estas tierras, son el oso de anteojos (*Tremarctos ornatus*) y el tapir de montaña (*Tapirus pinchaque*). Mientras que América del Norte cuenta con varias especies diferentes de úrsidos, el de anteojos es el único oso que puede encontrarse en la región neotrópica. Debe su nombre a las manchas blancas que salpican su cara, de contornos variables según el individuo, por lo que no existen dos ejemplares iguales. Básicamente vegetariano, se sitúa en la franja boscosa de los 3.000 metros, aunque en épocas de escasez alimenticia no duda en descender e incluso completar su almuerzo con los productos de las huertas locales.

El tapir, por su parte, puede ser considerado un auténtico fósil viviente. A principios del Terciario habitaban ya en América del Norte y Asia, mientras que en el Oligoceno –hace aproximadamente cuarenta millones de años– se habían expandido por Europa. Posteriores cambios climáticos disminuyeron el hábitat del grupo, que fue paulatinamente extinguiéndose. La aparición del itsmo central americano, hace dos millones de años, permitió a los tapires alcanzar las selvas sudamericanas. De esta manera, los únicos tapires que han llegado hasta nuestros días son cuatro especies diferentes, de las que tres se ubican en Sudamérica y una cuarta en Malasia. A pesar de la enorme distancia que las separa, estas especies están estrechamente emparentadas entre sí debido a su origen común.

La ruta de los volcanes de Ecuador es hoy un atractivo turístico de primer orden. Con todo, y a ritmo de "pasillo", el visitante apenas se adentra en la montaña. La grandiosa soledad del páramo y la luz que reverbera en los volcanes siempre nevados continúa siendo privilegio de unos pocos, un lujo inalcanzable para los apresurados viajeros de este frenético final de siglo.

- **Nombre:** Sitio arqueológico de Chavín (Perú).
- **Declaración Patrimonio:** 1985.
- **Situación:** en la parte oriental de la Cordillera Blanca, provincia de Huari, departamento de Ancash; en los 9° 33' de latitud sur y los 77° de longitud oeste.
- **Extensión:** 12.000 m².

SITIO ARQUEOLÓGICO DE CHAVÍN

PERÚ

havín es el mayor y mejor conservado centro religioso de una poderosa civilización protoperuana de la que aún hoy se desconoce casi todo y cuyo influjo se extiende desde los Andes hasta la costa del Pacífico durante 1.500 años. Además del valor artístico, tanto en las piezas escultóricas como en los restos arquitectónicos precolombinos hallados, Chavín es fundamental para conocer una de las culturas más antiguas de Latinoamérica.

Antonio Vázquez de Espinosa, quien visitó Chavín de Huantar en 1616, escribió doce años después en su *Compendio y Descripción de las Indias Occidentales:* "Cerca de la villa de Chavín hay una gran edificación de enormes piedras. Era uno de los más famosos santuarios –con la misma importancia que Roma y Jerusalén para nosotros– donde los indios iban a ofrecer sus sacrificios." Efectivamente, a una altura de 3.177 metros y en pleno valle andino, la villa da nombre a una de las culturas precolombinas más viejas e influyentes. El gran momento de la civilizacion de Chavín, verdadero motor religioso del antiguo Perú, se

estima entre los 900 y 800 años antes de Cristo; aunque la duración de esta cultura abarque, según los análisis de Carbono 14, desde el 1800 al siglo IV antes de la era cristiana. No sólo esto, sino que es el precedente más remoto de otras culturas como las de Salinar, Maranga y Nazca.

Visitado Chavín regularmente durante el siglo XIX, el arqueólogo peruano Julio César Tello emprende su excavación sistemática a partir de 1919 y fomenta y contribuye a su reputación internacional. En 1945, buena parte de los restos quedan de nuevo cubiertos por un corrimiento de tierras y, peor aún, un terremoto sepulta prácticamente a Chavín en 1970. Diversas instituciones, sin embargo, tanto privadas como públicas, se han unido para resucitar estas excavaciones que ocupan 12.000 m² con un gran número de terrazas, plataformas, escaleras entre las plazas y varias construcciones de piedra, casi todas de base cuadrangular y estructura de pirámide.

ORATORIO MEGALÍTICO

El sitial de ceremonias predominante de Chavín consiste en el Templo Tardío, el más viejo, también llamado el

Castillo, y el Templo del Lanzón o Templo Temprano, muy mal conservado. Ambos están edificados sobre una compleja red de galerías. Pareja importancia tiene el conjunto de piezas megalíticas a modo de menhires, como el Lanzón, el obelisco de Tello, la Medusa, el Raimondi y otros muchos. De todos caben múltiples interpretaciones. Por ejemplo, el relieve Raimondi es un bloque macizo de 2 metros de diorita muy bien conservado merced a que durante años un campesino lo utilizó como mesa vuelto del revés. De él algunos arqueólogos dicen que representa a un monstruo medio humano medio ja-

guar; otros, que es una antigua imagen del dios Viracocha; otros más, que es un bisonte tocado con una mitra de la que se desprenden rayos solares; un ciempiés para otro sector científico, y así hasta el infinito.

Rampas y escalinatas conectan los distintos pisos y plazas del conjunto. Como se ha mencionado, también existe un elaborado sistema de pasajes subterráneos e incluso se supone que alguno de estos pasadizos puede pasar por debajo del río Mosna a la otra orilla. Así, tres pasillos ciegos recorren el interior del Templo Temprano a modo de E mayús-

cula y dos de ellos confluyen en un monolito labrado de más de cuatro metros de altura conocido como el Lanzón, de probable uso ceremonial. Unos agujeros practicados en los techos aún airean algunas cámaras interiores de los edificios, pese a que se han ido rellenando con sedimentos y con las avenidas de 1945.

La fábrica de los muros, inclinados un tanto hacia dentro, procede de distintas canteras próximas, destinándose según su dureza a distinta ubicación, y siempre dispuesta en doble hilera de cantos pequeños bajo otra de mayor tamaño. Las zonas peor acabadas suelen correspon-

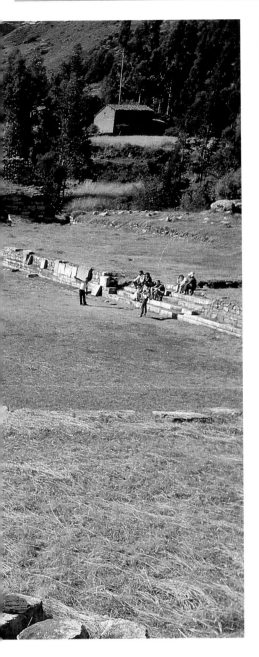

UNA PEREGRINACIÓN HACE 4.000 AÑOS

Con un poco de imaginación y otro poco de evidencia arqueológica, es fácil concebir cómo era una peregrinación al centro ceremonial de Chavín, en el pequeño valle del Mosna. La familia llena la víspera de la partida sus fardos con maíz, patata deshidratada y carne seca, en parte para su sustento y en parte para ofrendar a los sacerdotes. Temprano en la mañana, salen entre las nieblas el padre y la madre, mascando coca para combatir la fatiga y el relente, y su prole encaramada a la llama. Acaso, su perro los sigue. A través de rocas resbaladizas y abismos con rugientes arroyos en su fondo, la familia recorre empinadas cuestas que se retrepan y estrechan una y otra vez a través de estos valles. En algún cruce o tras una curva, se encuentran con esos vecinos a quienes rara vez ven salvo en estas ocasiones. Por fin, días después, ya engrosada la comitiva, se avista desde lo alto el ordenado, casi simétrico, conjunto de la explanada sagrada y sus templos. Entonces, es hora ya de descender este mismo camino que aún hoy se ve cortar la colina y perderse entre las nubes que, reagrupadas tras pasar las cumbres de los Andes, se encaminan al Pacífico.

der a zócalos en su día cubiertos por relieves pulidos con esmero.

Por las ruinas y algunas tumbas de la época se sabe que en Chavín se consumían habichuelas, mandioca, maíz y calabaza. También se tiene una idea bastante aproximada de sus ritos funerarios y religiosos, vestuario, adornos y objetos domésticos, gracias a los relieves líticos hallados. Los enterramientos se acompañan de restos de alimentos y vasijas que en su día contuvie-

ron bebida, lo que indica la creencia en la muerte como viaje, no como fin. Los cadáveres aparecen de pie o en postura fetal, algunos con el cráneo trepanado o deformado; pero esto no es un signo claro de momificación. Conocían el telar y el oro, trabajaban el hueso y las conchas marinas. Aún hoy se usa la concha como instrumento musical, al igual que hace 4.000 años. La llama y el perro también aparecen ya como animales domésticos.

El poblado de Chavín de Huantar (arriba), situado a 3.177 m de altitud en un alto valle de los Andes peruanos, fue levantado junto a un santuario al que los indios acudían para ofrecer sus sacrificios. A la derecha, en uno de los muros de El Castillo se puede observar la única cabeza-clava que todavía existe situada en su lugar de origen. Las cabezas-clava son una creación singular en el arte monumental de Chavín. En la página anterior, un monolito labrado conocido como El Lanzón, el único monolito de la cultura Chavín que ocupa su lugar primitivo en el Templo Temprano.

ORÍGENES EN LA SOMBRA

La temática escultórica de Chavín sobre las paredes, losas, dinteles y columnas es esencialmente zoomórfica e incluye jaguares, serpientes, cóndores y caimanes. Durante muchos años, cuando aún la arqueología no había llegado hasta la zona, esta lítica prodigiosa se utilizó en el vecino pueblo de Chavín como material de obra.

En cuanto al repertorio antropomorfo, abundan las cabezas humanas de formas curvilíneas y redondeadas, de expresión entre la fiereza y lo grotesco. En Chavín proliferaron las llamadas *cabezas clavas*: testas que sobresalen de los paramentos de los muros, a los que se unen por una espiga oculta, sin cuello ni torso, tan sólo la testuz toscamente labrada en la piedra, probablemente ejerciendo una función de guardianes del templo. La más afamada es la

única que aún está en su lugar original, el flanco sur del Castillo; el resto van apareciendo entre los aluviones o están dispersas por museos y colecciones.

En lo tocante al jaguar y al caimán del arte de Chavín está claro que son animales de la jungla, no nativos de estas montañas de clima árido. Además, Chavín no fue una ciudad sino un oratorio. Pero hasta que no se sepa más de las junglas del este, no se puede aportar una conclusión determi-

Este sitio ha dado su nombre a la cultura de Chavín que se desarrolló entre los años 1500 y 300 antes de Cristo. Junto a estas líneas, una de las célebres cabezas clavas que definen el arte monumental de Chavín. A la izquierda, el ala sur del Templo Tardío y, abajo, una escalinata del conjunto arqueológico.

nante sobre los orígenes de esta cultura; aunque haya indicios que así lo apunten.

Así, el origen de Chavín permanece como uno de los enigmas irresolutos de la arqueología peruana. Algunas teorías apuntan sus raíces en las costas del norte; otras en las tierras altas también norteñas. Sabemos que cuando la civilización olmeca florece en México, hacia el año 1200 antes de Cristo, probablemente existe una extensa red a lo largo de la franja marítima

del Pacífico entre Centroamérica y Ecuador. En verdad, esta ruta bien puede haber llegado hasta el Perú preincaico. Una vez asentada y poderosa la cultura de Chavín y por varios siglos, su influjo se refleja al menos en las vasijas pintadas de la cultura Paracas, 300 kilómetros al sur. De hecho, la influencia de Chavín, tanto en arquitectura como en cerámica y artesanía textil, cubre gran parte del Perú aún hasta el siglo I antes de Cristo.

Por otro lado, la mayoría de los arqueólogos estiman que el pequeño valle del río Mosna nunca puede haber soportado una población estable. De aquí, la opinión general de que Chavín de Huantar no fue una ciudad, sino un centro religioso donde los sacerdotes servían a sus deidades en los templos, vacíos normalmente, a la espera de las peregrinaciones periódicas desde todos los lados del país de aún desconocidos límites.

PARQUE NACIONAL RÍO ABISEO

PERÚ

- ❖ **Nombre:** Parque Nacional del Río Abiseo (Perú).
- ❖ **Declaración Patrimonio:** 1990 y 1992.
- ❖ **Situación:** en el departamento de San Martín, entre los 7° y los 8° de latitud sur y entre los 77° 44' de longitud oeste.
- ❖ **Superficie:** 274.250 has.

l sector central de la Cordillera de los Andes, entre las cordilleras del Cóndor y Azul, presenta una acusada caída hacia el este, como si quisiera alcanzar con prontitud los llanos amazónicos. El río Marañón, tras tomar sus primeras aguas a los pies del Huascarán, corre encajonado en dirección norte entre la Cordillera Blanca y la Sierra Central andina para, tras dejar atrás Pongo Maserichi, efectuar un amplio giro hacia el sureste y abrazar la Amazonía. Recibe entonces las aguas del Huallaga, poderoso afluente que tuvo su nacimiento en el pico Huánuco.

Y, en el sector comprendido entre los ríos Marañón y Huallaga, entre el gradiente de alturas que media entre los tres y cuatro mil cien metros sobre el nivel del mar, se sitúa el Parque Nacional del Río Abiseo, que encierra más de 270.000 hectáreas de bosques prácticamente inalterados como consecuencia de la baja presión demográfica de la zona y de su difícil acceso.

Río Abiseo se presenta como un lugar de encuentro de intereses naturales y culturales. Una rama de la gran vía prehispánica que unía Chachapoyas con Huánuco atraviesa el parque, lo que motivó un notable desarrollo de las culturas aborígenes en el área del espacio protegido, suficientemente ilustrado por los 36 yacimientos arqueológicos registrados desde el año 1985 –la abundancia de restos en el valle del río

Montecristo indica que la zona debió estar densamente poblada–. Por otra parte, las particulares condiciones orográficas del parque, con pendientes medias del 50%, suelos marcadamente ácidos y una quebrada topografía que permite la existencia de variados microclimas, han permitido describir cinco formaciones ecológicas diferentes que encierran un amplio abanico de vida silvestre.

AL ABRIGO DE LAS GLACIACIONES

De acuerdo con los estudios de Lamas, piedra angular de la política peruana de espacios protegidos, la cuenca del río Abiseo sirvió de refugio a numerosas especies durante las glaciaciones del Pleistoceno. Un sistema orográfico especialmente complejo permitió el acantonamiento de numerosas formas vegetales que vieron bruscamente reducida su área de distribución al finalizar la sucesión de períodos glaciales e interglaciales. El conjunto de formas relictas se ha visto enriquecido posteriormente por la colonización de nuevas especies, de suerte que el área presenta una notable biodiversidad y alto número de especies endémicas. Así, inventarios preliminares muestran un total aproximado de mil especies vegetales, de las que seis han sido descritas en el propio parque.

Río Abiseo encierra una magnífica representación de los bosques húmedos característicos de la cuenca alta amazónica. Los paisajes del sector más elevado del parque están formados por praderas subalpinas y páramos de altura, prácticamente desprovistos de arbolado y sometidos a la influencia de fuertes vientos

desecantes. La quebrada topografía que aparece a menor altura, caracterizada por la presencia de sierras menores paralelas al Sistema Central andino y contrafuertes perpendiculares, permite la aparición de bosques húmedos de alta y media montaña sustituidos en cotas inferiores por una espesa selva de lluvia.

Aun cuando los inventarios faunísticos del parque distan mucho de considerarse firmemente establecidos, Río Abiseo muestra ya particularidades zoológicas de alto interés. La distribución de las quince especies de anuros citadas, de las que tres son endémicas de la zona, se ve sumamente condicionada por la altura y topografía locales, de suerte que estas formas son extremadamente específicas de enclaves bien localizados. El mismo fenómeno de especificidad del hábitat se repite con ciertas aves: dos especies endémicas, el pardusco *(Nephelornis oneilli)* y el cotinga

de vientre claro *(Doliornis sclateri)* ocupan tan sólo manchas de bosque aisladas sobre un rango altitudinal de tan sólo trescientos metros, circunstancia que subraya la necesidad de protección estricta de estas masas forestales.

El parque cuenta además, dentro del conjunto de 132 aves inventariadas, con especies amenazadas de extinción, como el tucán de Huallaga *(Aulacorhynchus huallagae)*, el pato de cabeza castaña *(Netta erythrophtalma)*, el majestuoso cóndor de los Andes *(Vultur gryphus)* o el loro de pecho anaranjado *(Leptosittaca branickii)*. Similar consideración puede hacerse respecto a los mamíferos: las zonas altas son refugio de la paca de montaña *(Stictomys taczanowskii)*, conocida localmente por picuro, y de la taruca o huemul *(Hippocamelus antisensis)*, mientras que el bosque ofrece refugio al oso de anteojos *(Tremarctus ornatus)*, jaguar *(Panthera onca)* y dos especies de

monos amenazadas: la maquizapa de montaña *(Ateles belzebuth)* y el mono choro de cola amarilla *(Lagothrix flavicauda)*, entre otras especies.

LA FORTALEZA DEL GRAN PAJATÉN

Los estudios arqueológicos ilustran una ocupación aborigen que se remonta al menos a 8.000 años, situándose en los albores de las culturas prehistóricas peruanas. Dos han sido los yacimientos clave alumbrados hasta la fecha: el Gran Pajatén, situado a 2.800 m, y la Cueva Manachaqui, situada en un macizo rocoso aislado a 3.460 metros.

Las técnicas de datación mediante carbono 14 radiactivo muestran una ocupación para el Gran Pajatén que se extiende entre los años 900 a.C. y 1532 d. C., abarcando en consecuencia el período Temprano de la historia cultural peruana.

A la izquierda, un camino inca perfectamente conservado en el interior del parque nacional. A la derecha, un ejemplar del mono choro de cola amarilla, especie amenazada de extinción, uno de los petroglifos de la zona monumental y un "pinchudo", una figurilla de madera en el yacimiento arqueológico del Gran Pajatén. En la página anterior, las densas selvas que tapizan las montañas bajas del parque nacional.

La ciudadela del Gran Pajatén estuvo conectada con otros poblados menores, como el Callejón de Huaylas y el complejo funerario de los Pinchudos. Los restos de Cueva Manachaqui son más antiguos, extendiéndose entre los años 6000-1800 a.C. el período paleoindio precerámico y entre los años 1800 a.C. y 1532 d.C. el período cerámico.

Diferentes similitudes entre los restos encontrados en Río Abiseo y en otras áreas de Ecuador y Perú evidencian el intercambio cultural entre este sector amazónico y la costa y las zonas de sierra elevadas. Este hecho resulta realmente sorprendente si se tienen en cuenta las dificultades de comunicación que imponen los Andes y sugiere la idea de una base étnica común.

La relativa inaccesibilidad de la zona ha permitido que sus tesoros, naturales y culturales, hayan permanecido en el olvido desde la colonización española hasta el moderno descubrimiento del Gran Pajatén en el año 1963. Esta circunstancia refuerza la necesidad de las medidas de protección adoptadas, en una época en que la constante e indiscriminada explotación del bosque tropical hace singularmente necesaria la conservación de áreas prístinas.

ZONA ARQUEOLÓGICA DE CHAN CHAN

PERÚ

❖ **Nombre:** Zona arqueológica de Chan Chan (Perú).
❖ **Declaración Patrimonio:** 1986.
❖ **Situación:** en la costa norte del país, en la provincia de Trujillo, departamento de La Libertad; entre los 8° 04' y los 8° 07' de latitud sur y entre los 79° 03' y los 79° 06' de longitud oeste.
❖ **Extensión:** 20 km^2.

L a planificación urbana de Chan Chan, la mayor ciudad precolombina de América y testimonio del gran esplendor del imperio chimú, es una obra maestra de un riguroso ordenamiento social y jerárquico, como rara vez se expresan con tanta claridad. Pese al desgaste de sus muros de adobe que sufre la ciudad y a la antigua expoliación de los saqueadores, Chan Chan –a escasos kilómetros de Trujillo– sigue siendo un asombroso ejemplo del poderío de una civilización extinta.

CAPITAL DE UN IMPERIO

C han Chan es la capital del gran imperio chimú, el último gran poder litoral latinoamericano, que alcanza su cenit en el siglo XV poco antes de sucumbir bajo el dominio de los indios del altiplano, los incas. Sobre 1470, tras una larga guerra, el inca Tupac Yupanqui lleva preso a Cuzco al rey Minchancaman. Es el principio del fin. Su hijo, Chumun Caur, gobierna en nombre del inca el reino del norte, cada vez más dividido y debilitado. Sesenta años después, los chimús se unen a Francisco de Pizarro en su odio a los incas. Los españoles fundan en 1535 una nueva capital a pocos kilómetros de Chan Chan que bautizan con el nombre del lugar natal de Pizarro: Trujillo. Poco después, Chan Chan es abandonada totalmente.

Pero entonces nace la leyenda, que nos llegó en los escritos del padre Cabello de Balboa hacia 1586 o de Carlos Marcelo en 1604. A su vez, Pedro Cieza de León escribe en su *Crónica del Perú* sobre unos edificios que "aunque son tan antiguos, se parece claramente haber sido gran cosa".

La civilización chimú reemplaza a la cultura mochica, nazca y huari y empieza su desarrollo hacia el siglo XIII de la era cristiana. El valle de Santa Catalina se convierte poco a poco en el centro de un vasto imperio que abarca desde el golfo de Guayaquil al norte hasta la región de Paramonga al sur. El río Moche, mediante un intrincado sistema de canalización, abastecía a estas zonas sequísimas próximas a Chan Chan. Para conquistarla, los incas no tuvieron más que emprender una estratagema bien simple: cortar su suministro de agua. Hoy es difícil imaginar esta comarca con la fertilidad que gozó durante el esplendor chimú.

CIUDAD MUERTA DE BARRO

La primera impresión que sacude a quien visita Chan Chan es su devastación, su tamaño y la intensa organización social estrictamente jerarquizada que, más que adivinarse, se respira en el espacio urbano. Toda la ciudad cubre aproximadamente 20 km^2 y sólo el centro abarca no menos de 6 km^2. Aunque las ruinas cubren una meseta de 180 km^2 cercada y acosada por los cultivos. Esta zona comprende nueve grandes recintos rectangulares, con espesos muros de tierra, conocidos como palacios o ciudadelas. Cada una de estas residencias forma una suerte de unidad independiente y autónoma con diversos espacios alrededor de una o varias grandes plazas de carácter ceremonial evidente en algunos casos. Dentro de cada una de las mansiones principales hay templos, almacenes, cocinas, reservas, graneros, huertas, jardines, cisternas, calabozos, plataformas funerarias, cementerios... Algunos muros se adornan con frisos y relieves decorados con motivos abstractos, zoomorfos y antropomorfos, impresos mediante moldes, que dan fe del excepcional esplendor que gozó.

Alrededor de estos nueve conjuntos, sin duda bien de rango real o aristocrático, se han encontrado cuatro sectores artesanales hacia el oeste y el sur, dedicados principalmente a la carpintería, los telares y la orfebrería sobre plata y oro. Su trazado ya es caótico entre los altos muros sin aperturas. El área más lejana hacia el sur, sembrada de templos aquí y allá, parece haber sido terrenos de labranza, tal y como testifican los restos de un sistema de irrigación. Es casi seguro que la mayoría de las 30.000 almas que se calcula habitaron en y alrededor de Chan Chan vivieron en esta zona de cabañas y chozos de los que no queda el menor resto.

LEGADO EN PELIGRO

Las ruinas de Chan Chan desaparecen día a día. No es una frase dramática, es sencillamente la realidad. La zona es de

las más áridas del planeta y las ruinas están literalmente desvaneciéndose a causa del efecto combinado del viento y de las escasísimas precipitaciones que, junto con la elevada salinidad del suelo y del aire, constituyen una grave amenaza para estas extremadamente frágiles paredes de adobe.

Los buscadores de tesoros españoles y luego los huaqueros han expoliado a conciencia los depósitos arqueológicos de Chan Chan. Tanto que durante decenios la comunidad científica se sorprendió de la pobreza de la cerámica de Chan

Chan respecto a la de sus predecesores, hasta caer en la cuenta de que los saqueadores sólo habían despreciado las tumbas de las clases inferiores.

Hoy a los arqueólogos sólo les queda estudiar muros en imparable ruina, cerámicas y momias en posición fetal envueltas en sudarios pintados. El más rico enterramiento, sin duda el de un monarca, contiene trescientos esqueletos, casi todos de mujeres jóvenes, lo que atestigua la práctica de masivos sacrificios. Sea como fuere, queda mucho por investigar.

La inmensidad del conjunto arqueológico de Chan Chan y su organización es lo que más llama la atención a los visitantes. Pero el viento y las escasas precipitaciones atmosféricas en una de las regiones más áridas del mundo atentan gravemente al futuro de estas ruinas. En la página anterior, detalle del muro de la entrada principal de la Gran Plaza de las Ceremonias. Sobre estas líneas, decoraciones romboidales de los adoratorios del Palacio Tschundi, y a la izquierda, decoración de pelícanos en el mismo palacio.

PARQUE NACIONAL HUASCARÁN

PERÚ

- ❖ **Nombre:** Parque Nacional Huascarán (Perú).
- ❖ **Declaración Patrimonio:** 1985.
- ❖ **Situación:** en la Cordillera Blanca de los Andes, provincia de la Puna, departamento de Ancash, entre los 8° 49' y los 10° 40' de latitud sur y entre los 77° y los 77° 49' de longitud oeste.
- ❖ **Extensión:** 340.000 has.

Cuentan viejas historias que hace muchos, muchísimos años, antes de que el hombre poblara el planeta, existieron en las tierras altas del Perú unos seres enigmáticos, con apariencia y personalidad humanas, que acabarían convertidos en montañas y que recibían los nombres de Cauchón y Huascarán. Cauchón era varón, y Huascarán su bella esposa. Vivían felices juntos, acompañados por sus treinta y dos hijos, hasta que un día la pérfida bruja Sutec, seduciendo a Cauchón, se interpuso entre ellos.

A causa de la infidelidad de su marido, Huascarán y sus hijos se exiliaron transformándose en la Cordillera Blanca, cuyas copiosas lágrimas alimentan todavía hoy a los afluentes del río Mayao (actualmente río Santa) y del Marañón. Cauchón y Sutec, por su parte, se convirtieron en la Cordillera Negra, situada frente a la anterior, que incluye también a los hijos espúreos de la pareja, denominados cauchoncitos, y que debe al luto su sombrío color. Entre la Cordillera Blanca y la Cordillera Negra, como tierra de nadie, quedó el Callejón de Huaylas, flanqueado por altísimas paredes. Mucho tiempo después –¿cuánto?, ¿ocurrió la leyenda alguna vez?–, exactamente el 1 de julio de 1975, los peruanos crearían en aquellas alturas el Parque Nacional de Huascarán, que abarca 340.000 hectáreas y comprende la totalidad de la Cordillera Blanca.

La gigantesca cordillera de los Andes, columna vertebral de América meridional, recorre de norte a sur el territorio del Perú, formando entre los paralelos 8° 30' y 10° 00' de latitud sur un fantástico pasillo natural surcado por el río Santa. Es el Callejón de Huaylas. Cierra este pasillo por el oeste una cadena de montañas denominada Cordillera Negra, cuyo rasgo más característico es la ausencia total de picos con nieves perpetuas. Por el este, más cercano a la Amazonía, le flanquea la Cordillera Blanca, con nevados enormes y majestuosos.

La Negra presenta el color oscuro de la propia tierra. En ella apenas se atisba vegetación, y muchas zonas aparecen fuertemente erosionadas por el mal uso hecho de los suelos. La Blanca, en cambio, es el puro contraste de la anterior, destacando en ella las blancas alturas de los enormes picachos, entre los que se encuentra, precisamente, el techo del Perú, el Huascarán, que da nombre al parque nacional y alcanza los 6.768 metros de altura.

LA MONTAÑA TROPICAL MÁS ALTA DEL MUNDO

El Parque Nacional Huascarán, la cadena montañosa tropical más alta del mundo, está situado en el departamento peruano de Ancash. Se caracteriza por lo accidentado de su relieve con altitudes que pasan de 2.500 m a más de 6.550 metros que poseen algunas de sus cimas.

Dentro de los actuales límites del parque nacional existen nada menos que 27 nevados con más de 6.000 metros de altitud. El más elevado es el Huascarán Sur, con 6.768 m, seguido del Huascarán Norte, con 6.655 m, y del Huantsán, con 6.410 m. Sin embargo, debemos destacar un cuarto pico, el nevado Alpamayo, que con sus 6.120 m de altitud fue escogido como la montaña más bella de la Tierra en 1966.

En este grandioso paisaje de alta montaña son muy característicos los ibones o lagunas alpinas. Solamente en la cuenca del río Santa existen 188 ibones de variados tamaños, de los cuales treinta y seis tienen una capacidad superior al mi-

En este grandioso paisaje de alta montaña son muy característicos los ibones o lagunas alpinas, como la laguna de Taullicocha, a la izquierda. Junto a estas líneas, dos especies características de la cordillera andina, la amenazada vicuña, el herbívoro que produce la lana más fina del mundo, y la pequeña vizcacha, una especie endémica de los Andes que pasa gran parte del día tomando el sol sobre las piedras. En la página anterior, el nevado de Chopicalqui.

caracterizan por sus rápidos y remolinos– y penetra, al pasar por la localidad de Borja, en la cuenca amazónica, donde se hace navegable. Antes de llegar a Iquitos, el Marañón se une con el río Ucayali y su reunión da lugar al Amazonas.

EL DOMINIO DE LA PUYA

Desde el punto de vista de la vegetación se distinguen tres pisos altitudinales: el páramo muy húmedo subalpino tropical, la tundra pluvial alpino tropical y, por fin, la zona nival o de nieves perpetuas.

El páramo subalpino se extiende en altitud prácticamente hasta los 4.000 metros, y está caracterizado por la presencia de herbazales con bosquecillos aislados y rodales de cactus de distintas especies. Los zacatales de gramíneas se dividen en dos tipos, según las especies dominantes, que localmente se denominan grama salada y grama dulce. En cuanto a los bosquetes, se trata de masas forestales residuales, reliquias de bosques otrora más extendidos por la zona. Los árboles mejor adaptados a estas alturas son los llamados quinual o queñoa, del género *Polylepis*, que llaman la atención por su escaso por-

llón de metros cúbicos de agua. Los más conocidos son los denominados Laguna de Llanganuco Baja y Laguna de Llanganuco Alta, que constituyen una de las áreas más visitadas del parque, no sólo por su accesibilidad sino también, y sobre todo, por su espectacularidad, ya que están encerradas entre impresionantes murallones. En la cuenca del río Marañón, por su parte, y siempre en el interior del parque, se localizan 71 ibones. Trece de ellos tienen un volumen superior al millón de metros cúbicos y los hay, como ocurría en la cuenca

anterior, de dique morrénico, de dique de roca y de dique de escombros.

El río Marañón nace en la Cordillera de Huayhuash de una serie de pequeñas lagunas cuyas aguas se reúnen en la de Lauricocha. Se dirige hacia el norte por un estrecho valle entre las cordilleras Central y Occidental de los Andes peruanos, recibiendo entonces varios afluentes de la Cordillera Blanca. Más tarde atraviesa las montañas por una serie de espectaculares pongos –cañones estrechos y profundos que excavan los ríos andinos y que se

El páramo andino posee una vegetación perfectamente adaptada a las duras condiciones climatológicas que en él imperan. Son abundantes los vistosos matorrales del género Lupinus (arriba). A la derecha, el nevado de Chopicalqui, los achaparrados matorrales característicos del páramo andino y una mata joven de puya, una bromeliácea cuya inflorescencia alcanza los ocho metros de altura, lo que constituye un auténtico récord y la convierte en la joya botánica de este parque nacional.

te y su figura retorcida. También son comunes los denominados usuchs, del género *Buddleia*. La joya botánica de este páramo, al que presta una considerable personalidad, es la puya, científicamente conocida con el nombre de *Puya raimondii*. La puya es una planta gigante del grupo de las bromeliáceas y tiene la mayor inflorescencia que se conoce en el mundo vegetal, con una altura media de seis a ocho metros. Sólo existe en las regiones andinas de Chile, Bolivia y Perú.

En torno a las puyas, auténticos gigantes de la puna, nombre con que se designa a estos páramos, se dan cita diferentes especies de vertebrados que en cierto modo pueden considerarse asociados a estas llamativas bromeliáceas. En las inflorescencias maduras horadan sus galerías unos picos carpinteros a los que llaman localmente akakas, mientras en las flores liban al menos dos especies de colibríes o picaflores, el negro y el gigante. Al pie de las puyas buscan refugio y alimento la pisacca o perdiz y el yanavico, oscuro ibis típico de estas alturas andinas. Los predadores también acuden a los rodales de puyas, y se ve merodear a la comadreja entre los pies de las plantas, y en el cielo a dos poderosos predadores alados, el aguilucho cordillerano y el dominico.

Por encima del páramo subalpino y hasta los cinco mil metros de altitud, aparece la segunda franja de vegetación denominada tundra pluvial alpino tropical. Su flora es bastante diversa. Sobre las rocas crecen líquenes de diferentes colores, en tanto el suelo aparece en grandes zonas tachonado de champas *(Distichia muscoides),* una juncácea que forma almohadillas convexas, en continuo crecimiento por su parte superior mientras la

inferior se va transformando en turba. Hay árboles y arbustos clariseminados en esta tundra alpina, y si bien los queñoas y los usuchs son menos abundantes que en el piso inferior, aparecen otras especies, como las correspondientes a los géneros *Gynoxis* y *Chuquiraga*. Pese a todo predomina la vegetación herbácea, destacando por su abundancia e importancia ecológica una gramínea, la *Calamagrostis vicunarum*, que como indica su nombre científico es consumida habitualmente por las vicuñas.

Sobre la tundra aparece el piso de las nieves perpetuas, donde la vegetación es casi nula. Las únicas manifestaciones vegetales son algunas algas que viven sobre la propia nieve y pequeñísimos líquenes crustáceos, por lo general sólo presentes en las zonas más cercanas a la tundra.

EL CÓNDOR Y LA VICUÑA

El ave más emblemática de la cordillera andina es el cóndor *(Vultur gryphus)*, la más grande de las aves americanas. El cóndor, con sus tres metros de envergadura, resulta el auténtico rey del cielo andino. Unido a numerosas leyendas, forma parte de los rituales y las mitologías de todos los pueblos cordilleranos.

No tan altos como el cóndor, pero sí a mucha altitud, viven un buen número de aves, muchas de ellas al amparo de los ibones o lagunas alpinas, destacando numerosas anátidas como el pato rana *(Oxyura ferruginea)* y el pato de los torrentes *(Merganetta armata)*.

Al sur del parque nacional, en la zona de Acococha, vive un pequeño y grácil camélido que constituye una auténtica joya faunística de estas montañas. Se trata

de la amenazada vicuña *(Vicugna vicugna)*, el artiodáctilo que produce la lana más fina del mundo, de apenas seis a diez micras de grosor. La población que ocupa el Huascarán representa el límite norte actual de la distribución de la especie. En los últimos tiempos la caza de este camélido ha sido exhaustiva, en una búsqueda de su apreciada lana, hasta el punto de hacerla desaparecer de muchos lugares. Tan alarmante reducción hizo que en 1963, Perú, Bolivia, Argentina y Chile suscribieran un convenio internacional protegiendo a la vicuña y prohibiendo su caza y comercialización en los cuatro países.

Existen otros mamíferos de interés e importancia. Un pequeño roedor llamado vizcacha *(Lagidium peruanum)* vive entre las rocas y pertenece a un género exclusivo de los Andes. Es fácil ver a las vizcachas, por la mañana, tomando el sol en lo alto de las piedras y, ojo avizor por si se acercara alguno de sus predadores, como el puma, el zorro andino y alguna de las dos especies de gatos silvestres que viven en estas alturas.

En las quebradas del parque, entre los 2.500 y los 3.000 metros de altura, vive otra especie interesante. Se trata del oso de anteojos u oso anteojero *(Tremarctos*

ornatus), la única especie de la familia de los osos presente en la región neotropical. Este animal omnívoro, cuya etología y biología son apenas conocidas, ha visto también disminuir sus poblaciones, pues los campesinos le persiguen y dan muerte por los destrozos que origina en sus cultivos.

Parecida es la situación de la taruca o ciervo andino *(Hippocamelus antisensis)*, aunque en este caso la persecución haya corrido a cargo de los cazadores. Perfectamente adaptado a la vida en las alturas, este cérvido se ha visto restringido a áreas marginales inaccesibles al hombre, habiendo disminuido mucho sus poblaciones en toda la cordillera andina si exceptuamos aquellas zonas en las que, como ocurre en Huascarán, encuentra una protección especial.

Estas históricas y legendarias montañas que constituyen la cordillera tropical más alta del mundo, cuyos nevados abastecen continuamente la cuenca hidrográfica más caudalosa de los cinco continentes y a cuya sombra han florecido las más importantes culturas sudamericanas, han sido designadas por la UNESCO en 1977 como Reservas de Biosfera, y posteriormente en 1985 como Patrimonio de la Humanidad, lo que asegurará la integridad de estos espectaculares parajes andinos.

Centro histórico de Lima

Perú

- ❖ **Nombre:** Centro histórico de Lima (Perú).
- ❖ **Declaración Patrimonio:** 1988.
- ❖ **Situación:** en el centro de la costa pacífica peruana, es la capital del país; en los 12° 3' de latitud sur y los 77° 1' de longitud oeste.

L a Ciudad de los Reyes, que Francisco Pizarro fundara en 1535 con vocación de gran capital, conoció durante los siglos XVII y XVIII un inmenso auge como cabeza de los ricos territorios del virreinato del Perú. Amenazada por continuos seísmos y por el desmesurado crecimiento urbano de las últimas décadas, ha sabido sin embargo conservar espléndidos testimonios de esta pasada grandeza, que configuran uno de los conjuntos más representativos del arte colonial americano.

Tras la conquista del imperio inca, Francisco Pizarro estableció inicialmente en Cuzco la capital de la nueva colonia, a fin de aprovechar el prestigio de la ciudad, facilitando así la aceptación del cambio de poderes por parte de la población indígena. Pronto se hizo evidente, sin embargo, que su ubicación en las montañas, lejos del mar, dificultaba enormemente las necesarias comunicaciones con la me-

trópoli, lo que obligó a buscar un nuevo emplazamiento para la capital.

La capital necesaria

El lugar elegido fue una llanura junto al río Rimac, a diez kilómetros de la costa, precaución obligada para prevenir posibles ataques piratas. Los quechuas

habían adorado allí desde tiempos inmemoriales a Pachacamac, dios de la Tierra, y de su famoso oráculo derivaba el nombre del río –*rimac* significa en quechua "el hablador"–, que muy pronto fue también el de la ciudad, aunque el uso acabaría convirtiéndolo en Lima.

El 18 de enero de 1535 tuvo lugar la solemne fundación, según un preciso ritual, inspirado en la antigua tradición cas-

tellana de apropiación de un terreno, que los conquistadores habían establecido para estos casos. El fundador arrancaba hierbas y las esparcía a su alrededor, como símbolo de dominio, y posteriormente plantaba en el suelo un palo que representa la picota, símbolo del poder secular, y una cruz de madera en el lugar en que se alzaría la iglesia. Francisco Pizarro fue el encargado de llevar a cabo este ritual a orillas del Rimac, dando el nombre, pronto olvidado, de Ciudad de los Reyes a su fundación. Seis años más tarde sería asesinado en esta misma urbe cuyo perímetro trazó con la punta de su espada, y sepultado en la catedral de la que había puesto la primera piedra.

No llegó a conocer el gran momento de su ciudad, iniciado en 1542 con su nombramiento como capital del virreinato del Perú. Poco después se descubrieron en los Andes ricas minas de plata y mercurio, cuyos productos pasaban obligatoriamente por Lima para embarcar en su puerto de El Callao rumbo a la metrópoli. Este comercio enriqueció rápidamente a la ciudad, que llegó a ser famosa en los siglos XVII y XVIII por el lujo que derrochaban sus clases pudientes, que no fue igualado por ninguna otra ciudad

americana, llegando a empedrarse las calles con barras de plata maciza para recibir a los virreyes. Su puerto tuvo, además, el monopolio del comercio entre Europa y América del Sur hasta el siglo XVIII, época en que comenzó a disminuir su importancia con la creación de los virreinatos de Nueva Granada (1718) y del Río de la Plata (1776).

LADRILLO Y QUINCHA

Sin embargo, la ubicación de Lima distaba mucho de ser afortunada. La franja costera del Perú es una de las zonas más áridas del planeta, con muy escasa pluviosidad efectiva a pesar de la

garúa, persistente llovizna que preside el clima limeño durante varios meses al año, y sometida además a frecuentes terremotos. Tres grandes seísmos han arrasado la ciudad a lo largo de su historia, en 1656, 1746 y 1940, y muchos otros la han dañado más o menos seriamente. Como consecuencia, prácticamente no queda ningún resto de la primera fundación de Pizarro. El centro histórico de Lima procede en su mayor parte de los siglos XVII y XVIII, cuando los arquitectos locales habían aprendido ya a utilizar diversas soluciones antisísmicas. Las construcciones de escasa altura, la utilización preferente de materiales flexibles como la madera y el ladrillo, y sobre todo la sustitución de

las bóvedas de piedra por cubiertas de *quincha,* una mezcla de cañizo y barro enlucida con yeso, que además se prestaba con facilidad a la realización de molduras y otros elementos decorativos típicos del barroco, permitieron que la mayor parte de los edificios resistieran bien incluso el terrible terremoto de 1746. Estas peculiaridades han contribuido además a dar a la ciudad su acusada personalidad urbana, de la que el rasgo más característico son los grandes balcones, cerrados con celosías de madera de estilo mudéjar, que se abren en las fachadas de mansiones y palacios.

Junto con los ataques corsarios, los terremotos fueron el principal problema que tuvo que enfrentar la Lima colonial; en la actualidad, sin embargo, con más de cinco millones de habitantes, la sequía endémica de la región se ha hecho sentir con más fuerza, agravando los problemas de contaminación y abastecimiento de agua que son prioritarios para toda ciudad moderna.

FRANCISCANOS Y DOMINICOS

No resulta fácil, en tales circunstancias, preservar no sólo los edificios, sino los espacios urbanos, que en gran

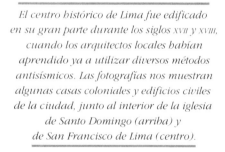

medida evocan aún el armonioso trazado
de la ciudad de Pizarro. Su centro neurál-
gico sigue siendo la Plaza de Armas, aunque no todos sus edificios pertenezcan al
período colonial. La catedral muestra una
hermosa fábrica barroca de mediados del
siglo XVII, aunque las torres, derribadas
por el terremoto de 1746, fueron reconstruidas en estilo neoclásico. También al
siglo XVII pertenece la Casa del Oidor, con
su enorme balcón de esquina pintado de
verde. El resto de los edificios de la plaza
son sustituciones contemporáneas de los
antiguos centros de poder coloniales, co-

mo el Palacio Arzobispal, obra neocolo-
nial de los años veinte, el Palacio de Gobierno, que ocupa el solar de la antigua
Casa de Pizarro, o el Palacio Municipal,
que se alza en el mismo lugar que desde
siempre ocupó el cabildo limeño.

Como en toda la colonización de
América, las órdenes religiosas tuvieron
también un papel relevante en la historia
de Lima. Pizarro se hizo acompañar por
franciscanos en la conquista del Perú,
concediéndoles en la fundación de la ciudad cuatro cuadras para su convento, el
mayor espacio destinado jamás a un esta-

blecimiento religioso en el Nuevo Mundo. Así nació el gran complejo conventual de San Francisco, cuya fábrica actual data de la reconstrucción llevada a cabo tras el terremoto de 1656 por el portugués Constantino de Vasconcellos. Tres iglesias, cinco claustros y numerosas dependencias auxiliares conformaban en su momento de máximo esplendor este impresionante conjunto, que gracias a la soberbia arquitectura de su iglesia principal y a su notable colección de obras de arte se sitúa a la cabeza del arte colonial limeño, aunque la apertura de la avenida Abancay, en 1940, le hiciera perder uno de sus claustros y algunas estancias.

Tras los franciscanos, muchas otras órdenes se instalaron en la ciudad, rivalizando en el esplendor de sus iglesias y monasterios. Todos ellos se situaron en la orilla izquierda del Rímac, núcleo de la primitiva fundación, a excepción del convento de los Descalzos, fundado en el siglo XVI y reconstruido en estilo neoclásico, que ocupa el centro de un hermoso barrio residencial de anchas avenidas sobre la ribera derecha del río.

Contemporáneo de San Francisco es el conjunto conventual de Santo Domingo, cuya iglesia es centro de veneración popular por contener en su cripta los restos de santa Rosa de Lima y san Martín de Porres, y que destaca sobre todo por su espléndida torre rococó. Otros templos asociados a conventos, como la Merced, San Pedro o San Agustín, y mansiones coloniales como el Palacio de Torre Tagle, la Casa de Pilatos o la bellísima Quinta de Presa, completan el conjunto monumental limeño, testimonio de los tiempos en que el nombre de la ciudad fue en toda América sinónimo de riqueza.

❖ **Nombre:** Santuario histórico de Machu-Picchu (Perú).
❖ **Declaración Patrimonio:** 1983.
❖ **Situación:** en el sudeste del país, en la provincia de Urubamba, departamento de Cuzco; en los 13° 07' de latitud sur y los 72° 35' de longitud oeste.
❖ **Extensión:** 32.596 has.

Santuario histórico de Machu-Picchu

Perú

L as sólidas y bien labradas piedras de la ciudadela de Machu-Picchu encierran todavía muchas incógnitas para el hombre del siglo XX. Relatos de algunos conquistadores, como los de Juan Larrea en el año 1542, permanecieron durante siglos en el olvido. Escribe este soldado español que en la confluencia de los ríos Marañón y Madeira hablaron con unos indios que les informaron de la existencia de una ciudad en las montañas, habitada por unas mujeres guerreras que adoraban al sol y la luna, las míticas amazonas.

G racias al tesón del profesor hispanista de la universidad de Yale, Hiram Bingham, las piedras de esta ciudad perdida de los incas fueron descubiertas para nuestra civilización. Desde 1908, Bingham, nacido en Honolulú hacía poco más de treinta años, buscó en vano la ciudad de las leyendas, convencido y engañado por Don Núñez, prefecto de Apurimac, quien le animó a la exploración de una selva en la que existiría una ciudad fantasma, Choquericao, donde

habrían vivido 15.000 almas huidas de los conquistadores españoles. El prefecto, pese a animarle en realidad fines lucrativos, no iba descaminado. Sin embargo, imponderables geográficos y climáticos dieron al traste con la tentativa.

En junio de 1911 se organizó una segunda expedición, esta vez patrocinada por la Universidad de Yale y la National Geographic Society, en colaboración con el propio gobierno peruano que facilitó los porteadores. La ruta que Manco Inca

escogió para huir de los españoles habría sido acondicionada por el gobierno peruano como vía de transporte de coca y aguardiente. Siguiéndola por azar y gracias a las indicaciones del mulero indígena Melchor Arteaga, los expedicionarios alcanzaron su objetivo tras numerosas penalidades.

Desde entonces, centenares de estudiosos, científicos y visitantes intentan descifrar el secreto escondido durante siglos de la vida de los incas en esta excepcional ciudad de piedra majestuosa.

Enclavada en un espectacular escenario natural, rodeado de montañas cuyas cimas superan a veces los 5.000 metros, la ciudad se asoma sobre el abismo, ya que a sus pies discurren las aguas torrenciales y sonoras del río Urubamba, conocido por los incas como el Río del Sol o *Wilka Mayo*. El pico inconfundible, tapizado de vegetación, que da sombra a la ciudad se llama Huayna Picchu. El índice de humedad de la zona es relativamente alto y las temperaturas, suaves.

Machu-Picchu fue declarado Santuario Histórico por decreto 001-81-AA de enero de 1981 e incluido en la lista del Patrimonio Mundial de la Unesco de 1983 como bien cultural-natural. Su superficie ocupa 32.596 hectáreas. Las administraciones responsables son el Instituto Nacional de la Cultura de la Región de Cuzco para el Conjunto Arqueológico y la Dirección Regional del Ministerio de Agricultura para el Santuario Histórico.

La inaccesibilidad del lugar, al que se ascendía por un camino en zig-zag pavimentado con grandes lascas, explicaría porqué permaneció olvidado durante tantos cientos de años; pero a su vez

ESPECTACULAR E INACCESIBLE

Aunos 50 kilómetros al noreste de la ciudad de Cuzco, en la provincia de Urubamba, en la región biogeográfica conocida como Ceja de Selva –más popularmente conocida como La Quebrada–, sobre la ladera oriental de la cordillera andina y a 2.430 metros de altitud, se alzan las ruinas de Machu-Picchu. Exactamente, en los 13º 07' de latitud sur y los 72º 35' de longitud oeste.

plantea incógnitas como la del transporte de esos gigantescos bloques de piedras –algunos pesan más de media tonelada– y que tuvieron que ser trasladados hasta aquí. Se baraja la posibilidad de que estos enormes bloques fueran izados por cuerdas de bejuco sobre rodillos por una legión de peones. De hecho, existe una cantera con piedras a medio trabajar a poco más de un kilómetro de las ruinas. Algunos arqueólogos opinan que las piedras se trasladaron desde más de 30 kilómetros. Otra gran dificultad para la habitabilidad de Machu-Picchu era la carencia de agua, que había que subirla desde el valle.

Que fue una ciudad importante del imperio inca, no cabe la menor duda. También es muy posible que fuera un santuario religioso y que allí vivieran personas de sangre real. Otra hipótesis, basada en que de los más de 160 esqueletos desenterrados 150 eran femeninos, es que la ciudad estuvo habitada casi exclusivamente por mujeres, las Vírgenes del Sol, y algunos guardianes. Una última hipótesis sostiene que la ciudad no fue más que un bastión militar, bien con fines defensivos, bien como campamento base para engrandecer el imperio inca.

Los científicos tampoco se ponen de acuerdo en cuándo se fundó la ciudad. Para su descubridor, la ciudad de Machu-Picchu fue el comienzo de lo que posteriormente fuera el gran imperio inca. Para otros, la ciudad existía antes de la llegada de los incas, ocupada por tribus indias procedentes del Amazonas. Conquistada por éstos, se ocuparon de agrandarla, llevando allí sacerdotes, astrónomos y vírgenes. Los hay que cifran su fundación cuando los incas fueron derrotados por Pizarro: los últimos guerreros que sobrevivieron construyeron la ciudad.

El secreto de estas piedras, apenas desvelado, no impide darse cuenta de la

El Torreón Militar (arriba) se levanta sobre una enorme roca que domina el valle del río Urubamba. Tiene dos ventanas trapezoidales y en su interior se hallan dieciocho nichos u hornacinas. El Intibuatana o reloj solar (abajo), tallado en la roca viva, se remata por un gran bloque de granito sobre el que se alza un gran prisma cuadrangular que según la más pura tradición incaica se encargaba de "atar" al sol.

importancia de este hallazgo arqueológico, uno de los mejor conservados del continente sudamericano y el más espectacular de todos ellos por el incomparable marco natural que le rodea y en el que se halla perfectamente integrado. Asimismo, Machu-Picchu representa el culmen de la grandeza del imperio inca, el ejemplo en piedra de su poder.

Santuario y fortaleza

Las ruinas de Machu-Picchu están flanqueadas por una muralla de cinco metros de alto y un metro de espesor que le dan un aire de fortaleza. El conjunto cuenta con más de 200 estructuras arquitectónicas diferentes y de cien escalinatas, a menudo esculpidas en roca viva.

Una escalera de cerca 3.000 peldaños da acceso a la ciudad, que comienza con una impresionante construcción, el Torreón Militar, que se levanta sobre una enorme roca, constituyéndose en una poderosa atalaya que domina todo el valle del río Urubamba abierto a sus pies. Sus paredes están formadas por grandes poliedros de roca cortada tan cuidadosamente que en algunas juntas no penetra la hoja de un cuchillo. Posee dos ventanas trapezoidales y en su interior existen dieciocho nichos u hornacinas.

Junto a él se encuentra la Plaza Sagrada, en la que se localizan tres edificios religiosos: el Gran Templo, el Templo Principal o Templo de las Tres Ventanas, que conserva tres características ventanas que miran a la salida del sol, y la mansión del sacerdote. El Gran Templo era el lugar donde se inmolaban a las víctimas humanas y se sacrificaban animales al dios Sol.

Entre los numerosos edificios que se conservan en pie está el Palacio Real, el

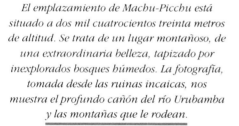

El emplazamiento de Machu-Picchu está situado a dos mil cuatrocientos treinta metros de altitud. Se trata de un lugar montañoso, de una extraordinaria belleza, tapizado por inexplorados bosques húmedos. La fotografía, tomada desde las ruinas incaicas, nos muestra el profundo cañón del río Urubamba y las montañas que le rodean.

Palacio de la Princesa, la Roca Sagrada, los Morteros y el barrio de la nobleza. Entre las junturas de sus piedras apenas crece la vegetación.

En la parte más alta de la ciudad se alza el observatorio solar. Este observatorio astronómico, formado por cuatro terrazas, se remata por un gran bloque de granito sobre el que se alza el prisma cuadrangular que, según la más pura tradición incaica, se encargaba de "atar al sol". Para acceder al reloj solar, o Intihuatana, tallado en la roca viva, hay que subir sesenta peldaños hechos de un solo bloque de granito.

Desde el punto de vista arquitectónico hay que destacar el singular trazado urbano, que se adapta y acopla perfecta-

En la fotografía superior se observan las murallas que rodean la Ciudadela. Los peldaños de piedra y su geométrico sistema de terrazas constituyen una demostración del arraigado sentido arquitectónico que poseía el pueblo inca.

mente a lo accidentado del terreno. Las cavidades naturales, los taludes, los desniveles y terraplenes son aprovechados para construir calles y terrazas. Es también notable la perfección con que están pulidas las piedras, hasta el punto que para su ensamblaje no hizo falta ni mortero ni cemento, ajustándose perfectamente unas a otras sin dejar ninguna rendija entre ellas.

Como en otras poblaciones incas, la ciudad está dividida en una parte alta y otra baja, con una gran explanada entre las dos áreas urbanas. Asimismo, la zona agrícola y el enclave de viviendas se encuentran netamente separadas. Sacerdotes, mujeres dedicadas al culto, funcionarios civiles y soldados para garantizar la seguridad de los labradores componían el millar aproximado de habitantes de Machu-Picchu. La religión inca consistía en una mezcla de prácticas animistas con ceremonias de fetichismo. Viracocha era su dios, creador de todo. Eran muy frecuentes los sacrificios humanos y de animales sobre altares de piedra tallada.

Otros complejos arquitectónicos han sido descubiertos en las proximidades de este recinto arqueológico peruano, como el Huayna Picchu, asomado, como si de un balcón se tratara, a una de las cimas cercanas. Otros importantes yacimientos vecinos, unidos entre sí por estrechos y empinados caminos de piedras, son Choquesuysuy, Runca Racay, Inti Pata, Puyutu Marca, Sayacmarca, Wiñay Wayna, Huarmiwayunca, Waylla Bamba, Chachabamba, Puyupatamarka, Inkaraqay y Sayacmarka.

La Ceja de Selva

Como se ha mencionado, desde el año 1983 el Santuario Histórico de Machu-Picchu está incluido en la Lista del Patrimonio Mundial como un bien natural y cultural. Y es que, si importante es la aportación arquitectónica del lugar, no lo es menos el entorno natural de sus más de 32.000 hectáreas enclavadas en lo que se denomina la Ceja de Selva.

Desde el valle del río Urubamba, donde la vegetación es prácticamente amazónica, hasta las cumbres superiores a los 5.000 metros con cimas heladas, una serie

Unas 200 estructuras arquitectónicas y 109 escalinatas entre las terrazas y los recintos, varias de ellas esculpidas en la roca viva, junto con más de 3.000 peldaños constituyen este singular conjunto arqueológico, el legado más importante que nos ha dejado el imperio inca.

de ecosistemas altitudinales se suceden ininterrumpidamente unos a otros, destacando por su importancia los bosques húmedos de montaña en los que crecen cerca de un centenar de especies de orquídeas.

En esta accidentada orografía tapizada por densas manchas forestales de ulcumanos, cedros y laureles, se citó por primera vez en Perú en el año 1965 al pequeño oso de anteojos *(Tremarctos ornatus),* caracterizado por unas manchas

blancas alrededor de los ojos que semejan unas gafas. Este oso, que vive en nidos en los árboles, sólo habita en las selvas de Venezuela, Perú, Colombia y Chile.

Entre las aves existe una importante población del gallito de roca *(Rupicola peruviana),* una especie amenazada de extinción y que es el ave nacional del Perú. También los vistosos picaflores y las alpacas –de las que se aprovecha hasta los excrementos como combustible– abundan en las

proximidades de Machu Picchu. Guana-
cos, vicuñas y ciervos constituyen unas
especies en regresión.

La belleza paisajística del entorno natural de Machu-Picchu, con sus abruptas
montañas y sus profundos cañones, es
otro factor más que hace sobresaliente
este sitio del Patrimonio Mundial que encierra en su interior la más asombrosa
creación urbana del imperio inca.

Sin embargo, hay que considerar las
serias amenazas que se ciernen sobre esta
ciudad en ruinas. La población ha crecido
en su entorno vertiginosamente, centrada
su economía en la atención a un turismo
exigente de infraestructuras, en el pasto-
reo nómada y en la explotación forestal.
Así, son frecuentes las quemas de bosques para crear pastizales. Además, se
han implantado en la región una industria
de fertilizantes y una central hidroeléctrica. Todo esto hace necesario tomar medidas urgentes para salvar del deterioro a
Machu-Picchu.

*Para acceder a este centro religioso y
ceremonial los incas utilizaban un increíble y
angosto camino, construido por ellos mismos
junto a los grandes acantilados de la
montaña. La estrechez del mismo permitía
una fácil defensa de esta ciudad sagrada,
perdida en la montaña.*

Parque Nacional Manú

Perú

- **Nombre:** Parque Nacional Manú (Perú).
- **Declaración Patrimonio:** 1987.
- **Situación:** en el sureste del país, en las provincias de Manú y de Pau Cartambo; entre los 11° 11' y los 12° 18' de latitud sur y entre los 71° 10' y los 72° 22' de longitud oeste.
- **Extensión:** 1.881.200 has.

E l Parque Nacional Manú, con más de un millón y medio de hectáreas, gran parte de ellas todavía inexploradas, fue establecido en 1973. Situado en su mayor extensión en el departamento Madre de Dios y en una porción relativamente pequeña en el de Cuzco, el Parque Nacional Manú se diferencia de otras áreas protegidas por la sorprendente diversidad de ecosistemas que posee.

A grandes rasgos pueden determinarse más de dieciséis formaciones vegetales diferentes. Desde la puna, a más de 4.000 metros sobre el nivel del mar, hasta el bosque muy húmedo tropical, en plena llanura amazónica, se suceden una serie de zonas de vida que enriquecen enormemente el paisaje.

La cuenca del río Manú, que da nombre al parque y que se constituye en el único camino para recorrer estas intrinca-das selvas, ocupa hasta un 80 por 100 de la superficie total del parque nacional y por su interior recorre más de doscientos noventa kilómetros. Este curso fluvial se caracteriza por la enorme cantidad de meandros que posee, muchos de los cuales quedan abandonados, lo que favorece la formación de lagunas, algunas veces temporales y otras permanentes, que se convierten en extraordinarios refugios para la fauna silvestre.

La fauna primatológica del Parque Nacional Manú es una de las más importantes del Perú ya que hasta la fecha se han censado trece especies de monos, entre los que se encuentra el mono capuchino. Abajo, la taricaya o tortuga acuática que acostumbra a tomar el sol sobre troncos que van a la deriva en los cursos fluviales de Manú. En la página anterior, una vista aérea de la selva amazónica.

LA ALTA MONTAÑA

Desde la población de Pancartambo se llega en el parque al lugar denominado Akanako, más conocido como Tres Cruces. En él existe un mirador desde el que se domina, en inmensa panorámica, cientos de hectáreas del llano amazónico. Este mirador está situado en plena puna, a 4.000 metros sobre el nivel del mar, en el sector sur del parque. Todo este grandioso paisaje montañoso está formado por las estribaciones de la cadena

oriental de la cordillera de los Andes, que sirve de divisoria a las cuencas del río Urubamba y el río Madre de Dios. Esta puna andina está formada por pajonales siempre verdes dominados por las gramíneas *Festuca* y *Calamagrostis.*

En el pajonal puñeno viven pequeños grupos de vicuñas *(Vicugna vicugna)* y las solitarias tarucas *(Hippocamelus antisensis)*, el cérvido que soporta las mayores alturas de todo el continente. Es, sobre todo, el territorio del poderoso puma *(Felis concolor)*, el más fuerte predador de esta área.

Las aves más comunes en la puna del parque son las perdices de los géneros *Nothoprocta* y *Tinamotis.* Pero de toda la avifauna destaca por su vistosidad el cóndor de los Andes *(Vultur gryphus)*, que desde el mismo mirador puede ser observado en sus espectaculares vuelos.

LA CEJA DE SELVA

Desde este sector del parque, un camino serpenteante y no en muy buenas condiciones conduce hasta la margen derecha del río Alto Madre de Dios. Allí se encuentra el pequeño embarcadero de Shintuya. Durante el trayecto se atraviesan diferentes formaciones vegetales cuyo conjunto se denomina comúnmente Selva Alta o Ceja de Selva.

Estas impresionantes masas forestales ocupan en el parque las estribaciones de la cordillera de los Andes, en alturas que van desde los 2.500 m a los 3.800 m sobre el nivel del mar. Debido principalmente a la altura, esta formación vegetal crece en un clima que se caracteriza por poseer temperaturas relativamente bajas y gran cantidad de humedad. Por eso es muy normal ver esta Ceja de Selva cubierta por una densa neblina que es la causa de que la mayor parte de la gente conozca esta área como bosque nublado.

Esta masa forestal, en el límite con el páramo o puna está formada por árboles y arbustos que apenas sobrepasan los cinco metros de altura, pero a medida que se desciende ladera abajo éstos se agigantan y el bosque se hace cada vez más denso, hasta convertirse en una selva cerrada. En ella viven el venado pequeño *(Mazama chunyi)*, especie típica de estos bosques de Selva Alta, el oso hormiguero gigante *(Tamandua tetradactyla)*, el pudu *(Pudu mephistophites)* y el escaso oso de anteojos *(Tremarctos ornatus)*.

Son innumerables las aves que aquí habitan. Por su belleza y colorido, así como por estar considerada como el ave nacional del Perú, hay que destacar el tunguil o gallito de las rocas *(Rupicola peruviana)*.

EL RÍO MANÚ

El descenso del río Alto Madre de Dios se hace en aguas rápidas y cristalinas. En ambas orillas se distinguen playas pedregosas y desde el centro del río pueden verse las montañas cercanas que sirven como telón de fondo a este paisaje singular. Del enmarañado bosque, en dirección sureste-noreste, emerge la cordillera de Pantiacolla, sobre la que se asentaron antiguas culturas cuya filiación todavía no se conoce con precisión.

Al llegar al lugar denominado Boca Manú se observa un espectáculo natural singular: el encuentro de las aguas claras del Alto Madre de Dios con las aguas rojizas del río Manú. Esta coloración rojiza del río que recorre la mayor parte de este parque nacional, es debida a la gran proporción de material arcilloso que contiene. En este punto, el de la fusión de dos grandes ríos, nace el caudaloso Madre de Dios, que irá a internarse más adelante en Bolivia. Durante un largo trecho, parece como si las aguas de ambos ríos no se quisieran mezclar, como intentando cada uno mantener su propia personalidad.

La anguila eléctrica *(Electrophorus electricus)* descarga sus baterías sobre los animales silvestres que se internan en estos cursos de agua y tres especies de pirañas opañas (g. *Serrasalmus)* viven aquí.

LA SELVA BAJA

La Selva Baja ocupa la mayor superficie del parque. En ella la temperatura es bastante constante a lo largo del año, con un promedio anual de 24°C.

Numerosas especies amenazadas de extinción en el resto del continente americano cuentan aquí con poblaciones estables. Tal es el caso del escaso y solitario tapir (arriba), denominado aquí sachavaca. Los reptiles son también muy abundantes en el parque nacional. Abajo, la poderosa boa arco iris, conocida con el nombre popular de mantona roja.

Llama poderosamente la atención la enorme diversidad de la vegetación. Son bosques que se mantienen siempre verdes, con árboles de enorme altura y gran frondosidad que durante todo el año producen abundantes flores y frutos.

Gran parte de estos árboles gigantes se encuentran cargados de bromeliáceas y de una gran variedad de orquídeas y lianas que ofrecen el aspecto de una selva enmarañada. Todos presentan sus troncos tapizados y envueltos por abundantes plantas epífitas y trepadoras, entre las que destacan por sus grandes y vistosas hojas las aráceas. También se adhieren a ellos grandes cantidades de musgos, líquenes y helechos.

Entre las principales especies arbóreas que conforman estas abigarradas masas forestales destacan por su importancia económica el cedro *(Cedrela odorata)* y la caoba *(Swietenia macrophylla)*.

Las zonas hidromórficas y aquéllas que se inundan periódicamente reciben el nombre común de aguajales. En ellas la especie dominante es el aguaje. Le acompañan una serie de palmeras entre las que merece señalar el huasar (g. *Euterpe).*

Esta frondosa y exuberante vegetación encierra una gran riqueza faunística. Junto a las dos grandes boas de vistosos colores y reflejos, que son inofensivas para el hombre, la boa constrictor *(Boa constrictor),* y la boa arco iris o mantona roja *(Epicrates cenchria),* existen numerosas serpientes venenosas como es la shushupe *(Lachesis muta),* el jergón *(Bothrops atrox)* y la naka-naka (g. *Micrurus).*

Entre las aves destacan la perdiz azulada *(Tinamus tao),* una de las perdices más grandes del mundo cuya longitud llega a los 45 cm, la llamativa panguana *(Ccrypturellus ondulatis),* el buitre real o cóndor de la selva *(Sarcorhampus papa),* con su característico vientre blanco, muchas veces acompañado de los gallinazos (g. *Cathar-*

tes, g. *Coragyps),* que junto a él ejercen la necrofagia en estas tierras bajas, y el shansho *(Opisthocomus hoazin),* una especie muy primitiva, de comportamiento eminentemente social, que hace que se reúnan en grupos de veinte o más individuos.

Los mamíferos que más fácilmente se dejan observar son los monos. Trece especies viven en estas selvas. Entre ellos destaca, por formar numerosos grupos, a veces de más de cuarenta individuos, el frailecillo *(Saimiri sciureus).* Todos estos monos constituyen la presa habitual del predador alado más poderoso de la Selva Baja, el águila harpía o águila monera

La Selva Baja ocupa la mayor superficie del parque y en ella llama mucho la atención los enormes ejemplares de árboles que allí se desarrollan cubiertos de lianas y epífitas (derecha). Bajo estas líneas, uno de los barrancos junto al río Manú, muy rico en sales minerales, que concentra una gran cantidad de guacamayos, ya que dichas sales son esenciales para la nutrición de estas aves.

(Harpia harpyja). Hay que tener mucha precaución con las manadas de pecaris que a veces en número de varios cientos arrasan cuanto encuentran a su paso. Existen dos especies de pecaris: la huangana *(Tayassu pecari)*, que forma grupos de a veces varios cientos de individuos, y el sajino *(Tayassu tajacu)*, caracterizado por una franja en el cuello y que forma pequeños grupos, los cuales no suelen superar los veinte individuos.

EL MADRE DE DIOS

El Madre de Dios es un río vivo, ya que tanto el propio curso fluvial como sus orillas son siempre motivo de sorpresa para el visitante. Las playas y las tierras bajas de las orillas están protegidas por una franja de bambú con espinas ramificadas que forman auténticas barreras impenetrables para el hombre. Este bambú, que recibe aquí el nombre de paca (g. *Guadua)*, es una gramínea gigante que algunas veces alcanza alturas superiores a los 15 metros. Esta planta ha librado de morir de sed a más de una persona, ya que los entrenudos de su tallo contienen una considerable cantidad de un líquido acuoso potable.

Numerosos troncos de árboles caídos pueden observarse en nuestro trayecto y en ellos, y en los también abundantes troncos flotantes, las taricayas *(Podocnemis unifilis)* o tortugas acuáticas se disputan palmo a palmo un lugar para poder disfrutar del cálido sol tropical.

El más grande de los mamíferos de la selva, la sachavaca o tapir *(Tapirus terrestris)* se acerca, incluso de día, a las orillas del río para beber. También lo hacen las familias de ronsocos *(Hydrochoerus hydrochaeris)*, el roedor más grande del mundo, los venados rojos *(Mazama americana)*, o las nutrias gigantes o lobos de río *(Pteronura brasiliensis)*, asoman-

do sus curiosas cabezas sobre las aguas, o jugando y sesteando en las orillas.

Decíamos que el río era un río vivo; en particular las aves convierten al Madre de Dios en un paraíso ornitológico. Un ave pescadora muy frecuente es el cormorán o cushuri *(Phalacrocorax brasilianus)*.

Más de ocho especies de garzas surcan las orillas entremezcladas con gansos y patos. No es raro localizar una colonia de espátulas rosadas *(Ajaia ajaja)*, con su bellísimo plumaje rosado y su característico pico espatulado.

Serpenteando el río, éste nos conducirá a Cocha Cashu. Es ésta una de las innumerables lagunas que existen en el parque y que corresponde, como sucede con la mayoría de las otras cochas, a un brazo aislado y antiguo del río. Las cochas son siempre los lugares privilegiados en donde se concentra la fauna. Las últimas investigaciones realizadas precisamente en esta cocha censaron 460 especies diferentes de aves en una superficie de sólo dos kilómetros cuadrados.

No es raro observar en las orillas al poderoso jaguar *(Panthera onca)*. En los barrancos, surcando el río, se localizan colpas o formaciones ricas en sales a donde acuden puntualmente los animales salvajes para obtener este recurso básico en su alimentación.

Allí acuden tres especies de papagayos que viven en el parque y que, sin lugar a dudas, son de una vistosidad extraordinaria: *Ara ararauna,* de color azul con el vientre amarillo y las alas azules; *Ara chloroptera,* con una vistosa combinación de verde dominante y rojo, y *Ara macao,* que posee las alas azules y el vientre rojo.

LOS PUEBLOS NATIVOS

La existencia de pueblos nativos, algunos sin ningún contacto con la civilización, constituye el testimonio más

En este millón y medio de hectáreas protegidas, muchas de ellas todavía inexploradas, existen numerosas especies animales y vegetales desconocidas para la ciencia. Es a lo largo del río Manú y sus afluentes, el camino natural para introducirse en el parque, donde se puede ver más fauna. A la izquierda, el localmente denominado lagarto negro, uno de los aligatóridos que vive en estos cursos fluviales.

fehaciente de que este territorio de la Amazonía peruana es una región virgen e inexplorada, en la que han desaparecido algunas expediciones que en años anteriores intentaron atravesarla de lado a lado, y de las que no se volvió a saber nada.

Entre los pueblos aborígenes los más conocidos son los machiguengas de Tayakome, que es el único grupo salvaje que ha experimentado una cierta culturización. Sin embargo, dentro del parque viven los amahuacas y los yaminahuas, que pertenecen a un grupo lingüístico y étnico completamente diferente a los anteriores y con los que todavía no existe contacto. Los amahuacas y yaminahuas

son enemigos entre sí y ambos mantienen una hostilidad notable con los machiguengas, los cuales les tienen un temor casi atávico. Hoy, todavía, el parque nacional es escenario de los enfrentamientos tribales de estos indígenas.

Los yaminahuas habitan las cabeceras de los ríos Panahua y Pinquén. Los amahuacas ocupan el sector noreste del parque. Es ésta una tribu de cazadores-pescadores y agricultores neolíticos que durante los meses de julio a septiembre, que corresponden a la época seca, migran en dirección al río Manú. En esta época es fácil ver a grupos de hombres y mujeres en las playas recolectando huevos de ta-

ricaya. Además de esta tortuga acuática, una especie que interviene frecuentemente en la dieta proteica de estos hombres primitivos es el motelo *(Geochelone denticulata)*. El motelo es una tortuga terrestre que se alimenta básicamente de materia vegetal y que se refugia en los orificios que dejan las palmeras caídas. Los indios lo saben y su captura les resulta relativamente sencilla.

Estos grupos indígenas que allí viven lo hacen en perfecta armonía con su medio natural, combinación excepcional de elementos naturales y culturales cuya diversidad biológica no se encuentra en ninguna otra parte del continente.

CIUDAD DE CUZCO

PERÚ

- ❖ **Nombre:** Ciudad de Cuzco (Perú).
- ❖ **Declaración Patrimonio:** 1983.
- ❖ **Situación:** en el sudeste del país, en el departamento de Cuzco; en los 13° 30' de latitud sur y los 72° de longitud oeste.

Para las antiguas culturas amerindias, el universo se organizaba según un esquema cuatripartito. Cuatro eran las direcciones del espacio y las edades del tiempo; cuatro los colores, los ciclos solares, las manifestaciones de cada divinidad. Sobre esta cosmogonía se construyeron religiones y Estados, en Mesoamérica y también en el área andina.

Una remota leyenda inca cifraba en cuatro parejas los padres fundadores de su raza y de su ciudad primera y principal, Cuzco, que estuvo a su vez dividida en cuatro barrios. A medida que los incas fueron desbordando su territorio original, esta partición se proyectó al conjunto del imperio, dando lugar al *Tahuantinsuyu*, el reino de las Cuatro Regiones, que las tropas de Francisco Pizarro conocieron y derribaron en su momento de máximo esplendor.

LOS HIJOS DEL SOL

Debido al carácter ágrafo de la cultura incaica, cuanto sabemos de sus orígenes y primera historia procede, en gran parte, de mitos y tradiciones transmitidos oralmente, que los cronistas de Indias recopilaron con posterioridad a la conquista española. Todos ellos coinciden en señalar los alrededores del lago Titicaca como región de origen de los primeros incas, Manco Capac y su hermana y esposa Mama Ocllo, a quienes su padre, el sol, había dado una vara de oro. Allí donde la vara se hundiese sin dificultad en el suelo, deberían fundar una ciu-

dad destinada a ser el centro del universo. La versión más antigua del mito tiene como protagonistas a un grupo de cuatro parejas, los hermanos Ayar y sus respectivas hermanas-esposas, aunque finalmente sólo Manco Capac y Mama Ocllo se convertirían en fundadores de Cuzco y antepasados de la dinastía de los *Sapa Inca,* los emperadores del *Tahuantinsuyu.*

Suele interpretarse esta leyenda como reflejo de la migración de un pequeño grupo étnico, procedente de la zona del Titicaca y tal vez relacionado con la poderosa cultura de Tiahuanaco, hacia zonas más bajas del altiplano andino. Su asentamiento definitivo en el valle de Cuzco, a 3.350 m de altitud, tendría lugar ya en el siglo XIII, pero la región estaba habitada desde la prehistoria. Una de las

muchas culturas que se sucedieron en ella, la denominada Huari, llegó incluso a aglutinar un extenso territorio entre el 600 y el 900 d.C., prefigurando lo que más tarde sería el imperio inca.

Durante un siglo, siempre según la tradición inca, se sucedieron en el trono de Cuzco ocho descendientes de Manco Capac de cuya existencia no tenemos otra constancia que la propia leyenda. Final-

mente, en 1438 es coronado Pachacuti, el primer *Sapa Inca* histórico y también el iniciador de la política expansiva que llevó a sus herederos, en menos de cien años, a regir un imperio que abarcaba desde el sur de Colombia al norte de

Argentina y Chile. Las conquistas militares, así como una política de alianzas basadas generalmente en vínculos matrimoniales, permitieron ir absorbiendo a los pueblos limítrofes. De uno de ellos, el quechua, tomaron los incas la que sería lengua oficial del *Tahuantinsuyu.* Convertida en el *runa simi,* la "lengua de los hombres", sirvió como herramienta decisiva para la unificación del imperio. Su difusión, favorecida por un eficaz sistema de comunicaciones, permitió a los incas dar a sus enormes dominios un notable grado de cohesión interna, comparable sólo al que llegó a alcanzar el imperio romano.

LA CAPITAL DEL TAHUANTINSUYU

Durante los últimos años de su reinado, después de haber sentado las bases territoriales y organizativas del imperio inca, Pachacuti dejó en manos de

su hijo Tupac Inca Yupanqui la tarea conquistadora y se dedicó a remodelar Cuzco, adecuándola a su nueva función de capital imperial. El plano de la ciudad, conservado en gran parte en la actualidad, fue estructurado en torno a dos ejes diagonales, cruzados en una plaza central, que dividían el casco urbano en cuatro barrios y se prolongaban en cuatro calzadas dirigidas hacia las cuatro regiones o *suyus* del imperio: Chinchaysuyu al norte, Collasuyu al sur, Antisuyu al este y Contisuyu al oeste. En el extremo norte de la ciudad se alzaba la fortaleza de Sacsahuaman, de la que no conservamos sino unos poderosos cimientos que han permitido identificar su planta como la cabeza de un puma o de un halcón, cuyo cuerpo sería el propio núcleo urbano.

Más que una verdadera fortaleza, ya que no hay constancia de que jamás fuera utilizada para la defensa de la ciudad en las múltiples luchas que la sacudieron,

Sacsahuaman parece haber sido más bien un centro de gobierno, sede del poder secular del imperio. El poder religioso residía en el otro gran edificio del Cuzco preincaico: el Coricancha o templo del Sol, donde se encerraba la roca sagrada conocida como usnu D o *intihuatana,* a la que los sacerdotes "ataban" el sol durante la fiesta del solsticio de verano. El Coricancha estaba formado por cuatro construcciones rectangulares dedicadas al sol, a la luna, al trueno y a las estrellas, así como por otros edificios secundarios y un muro circular rodeando el conjunto. En la actualidad subsisten gran parte de los cuatro templos y del muro circular, que fueron utilizados tras la conquista para edificar el convento de Santo Domingo.

Los muros de Sacsahuaman y del Coricancha constituyen buenos ejemplos de la maestría que los incas llegaron a alcanzar en los trabajos de cantería. Los paramentos de piedra podían llevar diferentes acabados, según el material empleado o el tipo de construcción. Los edificios principales, como el Coricancha, se hacían con aparejo de piedras regulares, colocadas en hiladas horizontales y con un acabado totalmente liso, que se lograba puliendo el muro con arena húmeda. Para las fortalezas y palacios se prefería el aparejo poligonal, de piedras irregulares que se tallaban de modo que sus ángulos encajasen perfectamente unos con otros, y a las que con frecuencia se daba un acabado almohadillado. En todos los casos, las cubiertas eran de madera, ya que los arquitectos incas no llegaron a conocer ni el arco ni la bóveda.

CRUCE DE CAMINOS

El 15 de noviembre de 1533, Francisco Pizarro y sus hombres llegan a Cuzco, prácticamente convertidos ya en dueños del *Tahuantinsuyu* tras la muerte del inca

A 3.000 metros de altitud, sobre el altiplano peruano, se levanta una ciudad colonial de una rara belleza, rica en palacios e iglesias barrocas, construida sobre las ruinas de granito y andesita de la ciudad inca cuyos vestigios afloran por todas partes. Arriba, la plaza de los Arcos; a la izquierda, una calle de la ciudad colonial y una casa construida sobre la muralla incaica. En la página anterior, el templo de la Compañía.

Atahualpa. Aunque apenas encontraron oro en ella –la mayor parte había sido enviado a Cajamarca para pagar el fallido rescate de Atahualpa–, los españoles quedaron deslumbrados por la grandeza de la ciudad, con sus anchas calles empedra-

das y sus palacios decorados con exquisitos tejidos. Consumada la conquista, Cuzco se convirtió de modo natural en capital del nuevo virreinato. Su fundación hispana data del 23 de marzo de 1534, y en 1540 el emperador Carlos le otorgó el título de "Gran Ciudad y Cabeza de los Reinos del Perú". El urbanismo de la ciudad colonial respetó en gran parte el trazado indígena, e incluso la mayor parte de los edificios, dada la excelente calidad de sus muros. El casco antiguo de Cuzco adquirió así el carácter mestizo que aún conserva: prácticamente no hay ningún edificio de importancia que no tenga un basamento de sólida cantería inca. Así, Santo Domingo fue edificado sobre el Coricancha; la iglesia de la Compañía de Jesús, sobre el Amarucancha. El palacio del Inca fue utilizado para construir la catedral, y la plaza de Huacaypata se convirtió en Plaza Mayor. Surgieron también las primeras casas señoriales, cuyo estilo recuerda los palacios castellanos y extremeños: la de las Sierpes, con dos monstruos marinos sosteniendo el escudo de la fachada y serpientes incas talladas sobre las piedras; la del Almirante, notable por el artesonado del salón principal; la de los Cuatro Bustos, con portada presidida por los retratos de los fundadores. Todas ellas tuvieron inicialmente torres que fueron demolidas en el siglo XVII.

El templo del Sol o Coricancha (izquierda), donde se encerraba la roca sagrada o "Intihuatana", estaba formado por cuatro construcciones rectangulares dedicadas al sol, a la luna, al trueno y a las estrellas y por un muro circular que rodeaba el conjunto. Sobre estas líneas, una vista general de la ciudad.

EL FIN DE UNA ESPERANZA

En mayo de 1572, la Plaza Mayor de Cuzco fue escenario de un dramático episodio que cerraba definitivamente la conquista del Tahuantinsuyu. Tupac Amaru, el último Inca, era decapitado ante una multitud de indios cuyos gritos de dolor hicieron estremecer los muros de la ciudad. Con él se extinguía la estirpe de los Hijos del Sol y el último foco de resistencia a los invasores, mantenido durante casi cuarenta años en las montañas de Vilcabamba por su padre Manco Inca y sus hermanos Sayri Tupac y Tito Cusi Yupanqui.

Arriba, el claustro de la catedral, situado donde se encontraba primitivamente el palacio del Inca. A la derecha, dos vistas nocturnas de Cuzco, los característicos soportales coloniales y la catedral iluminada, una escena de la vida diaria en esta ciudad del altiplano y una de las angostas calles de la ciudad mostrando los muros incaicos.

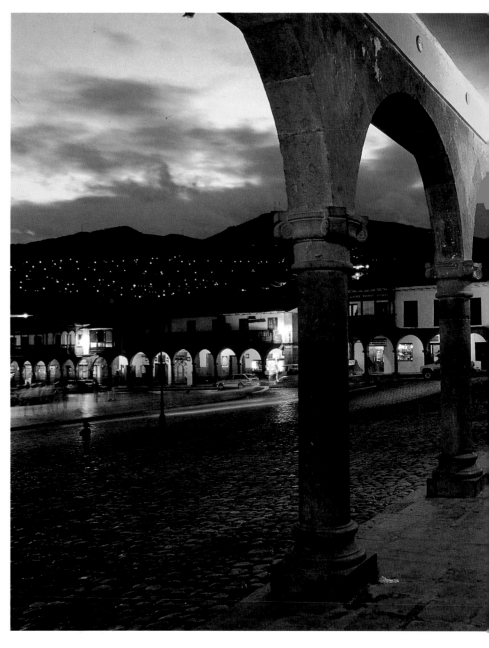

La primacía colonial de Cuzco fue, con todo, breve. En 1542 se trasladaba la capital del virreinato a Lima, cuya situación próxima a la costa facilitaba las comunicaciones con la metrópoli. Sin embargo, Cuzco no dejó de prosperar, gracias a su estratégica situación sobre la ruta que unía Lima con Buenos Aires y, sobre todo, por ser lugar de paso para el mercurio que, procedente de las minas de Huancavélica, se dirigía a los ingenios de plata de Potosí. La época de esplendor de las minas lo fue también de la vieja capital incaica, que aprovisionaba a las ciudades mineras de productos agrícolas y artículos de lujo –muebles, tejidos, pinturas–, recibiendo a cambio las riquezas que permitieron al barroco entrar de lleno en sus calles de la mano de los mejores artistas del momento. Tras el gran terremoto de 1650, que obligó a reconstruir gran número de edificios, el Cuzco colonial alcanzó su perfil más opulento. Iglesias, conventos y palacios fueron edificados en el llamado estilo limeño, cuyos rasgos más característicos eran el uso de columnas salomónicas, portadas rematadas por frontón roto y grandes claraboyas ovaladas. Surge también en esta época con fuerza una escuela de pintura de honda raíz mestiza, como lo fueron muchos de sus representantes, cuyas obras se caracterizan por el uso de sobredorados en las vestiduras de los personajes, rasgo arcaizante heredado de la pintura medieval española y que sobrevivirá tenazmente hasta finales del siglo XVIII.

Ya en 1821, durante los últimos años de la colonización española, Cuzco volvió a ser por breve tiempo la capital del virreinato del Perú y aun de todo el imperio español en América del Sur. La independencia, no obstante, marcó el inicio de su declive. El fracaso de la unión entre Perú y Bolivia en 1839, que supuso la

pérdida del mercado boliviano, así como el hundimiento de su industria textil provocado por la libre importación de tejidos de Inglaterra y Estados Unidos, fueron las principales causas de una decadencia gracias a la cual el centro histórico cuzqueño se vio libre del acoso de la especulación urbanística. Tras el violento terremoto de 1950, la restauración de sus monumentos, emprendida bajo los auspicios de la UNESCO, ha dado ocasión a que la ciudad de Cuzco vaya despertando poco a poco a su nueva condición de centro turístico y símbolo del pasado más glorioso del Perú.

CIUDAD HISTÓRICA DE SUCRE

BOLIVIA

- ❖ **Nombre:** Ciudad histórica de Sucre (Bolivia).
- ❖ **Declaración Patrimonio:** 1991.
- ❖ **Situación:** en la provincia de Oropeza, departamento de Chuquisaca, en plena cordillera andina; en los 19° 2' de latitud sur y en los 65° 21' de longitud oeste.

Durante el siglo pasado Sucre fue la capital del Estado, pero ya desde 1538, año de su fundación, desarrolló un papel crucial en la historia del altiplano boliviano con sus revueltas, su tráfago económico y, más perdurablemente, con su espléndida arquitectura muy inspirada en el espíritu español pero transustanciado en la identidad indígena. Paralela a su importancia histórica, Sucre sobresale dentro de esta estética tan singular por la calidad en la ejecución y el proporcionado equilibrio de su arte.

La ciudad de Sucre, con alrededor de 130.000 habitantes, fue fundada en 1538 con el nombre de Villa de la Plata por su proximidad con las minas apogeo de Porco, en la región de Potosí. En 1825 se convierte en capital de la recién nacida República de Bolivia por la ley del 11 de agosto. Actualmente, la ciudad se halla desplazada del eje económico del país desde el traslado del gobierno a La Paz.

Tradicional centro comercial y minero-agrícola, la ciudad comprende unos 300 edificios que forman un conjunto histórico urbano de gran valor y singularidad.

LA CIUDAD DE LOS CUATRO NOMBRES

La primera entidad territorial de la época colonial en el actual territorio boliviano, antaño dominado por los incas, fue Nueva Toledo, que el rey de España cedió con el cargo de mariscal a Diego de Almagro, compañero de Francisco Pizarro durante la conquista de Perú. Almagro en su expedición sobre Chile descubre Charcas en el altiplano boliviano, pero surge la traición y en 1538 muere ejecutado tras diversas intrigas por orden de los hermanos Pizarro. Pedro de Anzu-

222

res marcha entonces sobre Charcas por orden de éstos y funda Villa de la Plata en 1538 sobre las ruinas de la ciudad india de Chuquisaca, elevada luego al rango de ciudad episcopal en 1553. Ulteriormente, a causa de la incapacidad de las autoridades de Lima para controlar tan vasto territorio, llamado entonces Alto Perú, y teniendo en cuenta el florecimiento de la zona por las minas argentíferas de Potosí,

se creó la audiencia de Charcas en 1561, cuya jurisdicción abarcaba aproximadamente el actual estado de Bolivia.

En 1776 el Alto Perú se desmembra del virreinato de Perú y se incorpora al nuevo virreinato del Río de la Plata. Se suceden las luchas entre vascos y vicuñas –así llamados estos criollos y españoles no vascos por sus gorros de lana de este rumiante– a lo largo de toda la etapa colonial. Por su parte, los

indios de Bolivia están sujetos a la encomienda, al pongaje o sistemas parecidos. El indio pongo debía trabajar obligatoriamente en las tierras de un hacendado seis días a la semana y su señor podía destinarlo sin retribución además para otros servicios domésticos o alquilarlo. Así, el indio Tupac Amaru encabeza una rebelión y asedia La Paz en 1781; aunque las autoridades españolas aplastan las reivin-

dicaciones indígenas ante la impasividad de los criollos que, inmediatamente después, empiezan a dirigir el movimiento de emancipación. Así, Sucre es la ciudad de los cuatro nombres: Villa de la Plata, Charcas, donde los regentes de la audiencia se asientan, Chuquisaca y luego Sucre, tras la independencia.

SE PROCLAMA LA EMANCIPACIÓN

Entrado el siglo XIX, desde la universidad de Chuquisaca se alientan los focos revolucionarios. De este modo, es una de las primeras ciudades latinoamericanas en levantarse contra España por la independencia de las colonias en 1809. En 1825 la ciudad constituye el punto de partida de la nueva organización estatal y entonces se rebautiza precisamente en honor del general que ha encabezado el proceso de independencia e íntimo colaborador de Simón Bolívar: José Sucre. En ella se establece la corte superior de Chuquisaca, cuya asamblea proclama la independencia del Alto Perú, y, a la par, Sucre se convierte en capital del Estado que desde entonces se llama República Bolívar, en homenaje al Libertador, y poco después adopta su nombre definitivo: República de Bolivia. Aún se conserva el balcón de la mansión llamada

Casa de la Libertad, desde el que se proclamó la independencia boliviana.

En 1893 nace el enfrentamiento con la ciudad de La Paz, que resume las diferencias económicas y sociales entre el norte y el sur del país. El conflicto termina en guerra en 1898. La Paz, que exige una república federal, acaba triunfando y a ella se traslada el gobierno y se convierte en capital durante el mandato del presidente Pando (1899-1904). Por otro lado, la ubicación de Sucre en pleno altiplano requería una inmediata construcción del ferrocarril, cosa que se retrasó durante decenios, lo que contribuye al aspecto bastante provinciano de la ciudad, pese a su actividad universitaria. Un terremoto en 1948 arrasó buena parte de los barrios coloniales. Sucre salió de la desgracia remozada. Se abrieron grandes espacios verdes, como la plaza del 25 de Mayo o el parque de Bolívar, emblemáticos centros de la vitalidad sucreña.

TOTALMENTE HISPANO-INDIA

El entorno que rodea a la ciudad es grandioso. Pese a su altitud (2.850 metros) y la proximidad del trópico, Sucre tiene un clima seco con suaves temperaturas incluso en invierno. El conjunto urbano parece girar alrededor de la plaza del 25 de Mayo, corazón de la ciudad, donde la actividad cotidiana es incesante. La catedral preside el foro, como en multitud de ciudades latinoamericanas.

Aunque la actual Bolivia dependía durante la colonización española del virreinato de Perú y, a través de Lima, le llegaban los movimientos imperantes en España, las altiplanicies bolivianas se desarrollaron con cierta individualidad embebida en lo indígena que se manifiesta, sobre todo a partir del siglo XVIII, en la decoración de los exteriores de los edificios. Así, la temática se inunda de la flora y fauna de las culturas locales, además de motivos extraídos de las culturas preco-

lombinas. Las técnicas empleadas resaltan la luz y la sombra sobre la piedra que emerge de los paramentos inmaculadamente encalados por doquier. Este estilo, que entreteje elementos hispánicos con la decoración india, toma el nombre de estilo mestizo, presente desde antes en Potosí, pero que no llega a Sucre plenamente hasta la ejecución del templo de las Mónicas.

La iglesia de San Lázaro, la más antigua de Charcas, se construye en 1544. A

su vez, dos edificios religiosos revisten singular importancia: el antiguo convento de San Francisco, construido en 1581 por el arquitecto Juan de Vallejo, de recoleto claustro, y el antiguo colegio jesuita. Este centro educativo, enmarcado en la tradición mudéjar, se consagra primero en honor de San Juan Bautista y después es dedicado a San Miguel en 1767; hoy es la universidad de San Francisco Javier de Chuquisaca. Tiene merecida fama su claustro de doble galería, tanto por sus

dimensiones generosas, como por lo apacible del ambiente. Merece también especial mención la iglesia de La Merced, iniciada en 1582 y terminada en 1630, sobre la que también trabaja Vallejo. Ya de trazas góticas son las iglesias de San Agustín y de Santo Domingo, de tres naves ésta y de imponente fachada, comenzadas ambas a fines del siglo XVI.

Por su parte, la catedral de Sucre se incardina perfectamente en el estilo virreinal de Bolivia. La iglesia primitiva se

La ciudad de Sucre (arriba), fundada en 1538 con el nombre de Villa de la Plata por su proximidad a las minas de Potosí, está situada a 2.850 metros de altitud. Pese a su proximidad al trópico, goza de un clima seco con suaves temperaturas incluso en invierno. A la izquierda, la bella portada barroca de la Virgen de Guadalupe, en la catedral.

ejecuta en la década de 1551 a 1561 pero prosiguen las obras de agrandamiento hasta fines del siglo XVII. El conjunto resultante es de vastas dimensiones, la central de sus tres naves más alta, con la bella portada barroca de la Virgen de Guadalupe. Su campanario, cuadrangular, alto e imponente, otorga su perfil inconfundible a la identidad sucreña.

La fachada principal de la Universidad (arriba) es uno de los edificios característicos de la arquitectura civil del Renacimiento en la ciudad. A la derecha, detalles de la vida y arquitectura de Sucre, una ciudad universitaria que tras haber perdido la capitalidad del Estado, conserva en ella todavía numerosas reminiscencias coloniales y tradiciones indígenas. Junto a estas líneas, "los escribientes" que facilitan el cumplimiento de los documentos oficiales.

ANDINA Y COLONIAL

En cuanto a la arquitectura civil del Renacimiento, hay que mencionar al hospital de Sucre, que se conserva en su forma original. Este hospital se fundó en 1554 gracias a la caridad de Bartolomé Hernández, y se encomendó a Santa Bárbara. Edificaciones civiles posteriores son la casa del Cristo del Gran Poder –del siglo XVII– y las ya barrocas de Cuenca, de los Melgarejo y de los Herrera, así como el palacio Arzobispal. El ya mencionado gran terremoto de 1948 destruyó no pocas de estas mansiones, reduciendo enormemente el patrimonio artístico de la ciudad. Actualmente, muchas de estas casas señoriales son habitadas por numerosas familias, una o varias por planta, en vez de pertenecer a un solo apellido.

Al incorporarse Sucre –entonces Charcas– al virreinato de Río de la Plata en el siglo XVIII, llega a través de Buenos Aires el

espítiru del rococó francés. Así, el templo de las Mónicas se insufla de esta novedad al tiempo que bebe del estilo puramente andino, como se muestra en su portada. San Felipe Neri no admite dudas: es la explosión del barroco florido y recargado en el Nuevo Mundo. Flanquean su fachada un par de campanarios de planta octogonal rematados por cupulillas bulbosas.

En Sucre se resume la convivencia de la vida universitaria por un lado, los recuerdos de su capitalidad por otro, del indígena en los mercados de infinito colorido, de las reminiscencias coloniales –sean aristocráticas o religiosas– y de la ciudad del siglo XX, crucial en la historia de Bolivia y de Latinoamérica.

CIUDAD DE POTOSÍ

BOLIVIA

- ❖ **Nombre:** Ciudad de Potosí (Bolivia).
- ❖ **Declaración Patrimonio:** 1987.
- ❖ **Situación:** en la provincia de Potosí, sobre la cordillera andina, a unos 400 km al sur de La Paz; en los 19° 32' de latitud sur y en los 65° 48' de longitud oeste.

P otosí fue una ciudad surgida de la nada en las entrañas de los Andes: la mayor mina de plata de América, culpable de una gigantesca conmoción financiera en Europa y sede de importantes obras de arte colonial que, al agotarse el mineral, pronto cayeron en el olvido hasta su renacimiento actual. Potosí fue un mito de riqueza en el altiplano boliviano que cruzó el océano pero que también es testimonio del desarrollo de la arquitectura y de las artes de la región central de los Andes con un estilo esencialmente barroco pleno de influencias indias.

C uando el indio Diego Hualpa, pastor de llamas, comerciante de coca y guía de los españoles en busca de minas, persigue a su res perdida entre las trochas del cerro llamado entonces Potojchi, encuentra un hilillo resplandeciente en la noche, que le atraviesa como un cuchillo la retina. Es el año 1545. Pronto se lo cuenta a su amigo Huanca, a quien acompaña después a referir el hallazgo al señor de éste, el capitán Diego de Villarroel. El militar no tarda en encaminarse al lugar de los hechos y plantar las tiras de cuerdas correspondientes para, según la ley imperante, convertirse en dueño de lo acotado: el origen de una prosperidad inusitada y el mayor filón argentífero del Nuevo Mundo. Se trata del cerro de Potosí, al sur de la actual ciudad homónima. Por fin, parece haberse encontrado Eldorado, tras las incesantes y locas búsquedas de los conquistadores españoles. Acaso no exactamente el que ellos quieren pero, sin duda, una incalculable fuente de riqueza.

Al principio, no es más que un laberinto de casuchas y techumbres. Tras la visita del virrey Francisco de Toledo, se funda y empieza a construirse la nueva ciudad en 1572. En el siglo XVII ya com-

prende 160.000 colonos y 13.500 indios de 17 provincias del virreinato de
Perú que trabajan en las minas. En
1580 se implantó una nueva técnica de
extracción basada en la utilización de
molinos hidráulicos y la mezcla con
mercurio para aprovechar los deriva-
dos argentíferos hasta entonces dese-
chados y lograr, por ejemplo, la lata y
el azogue. La enorme producción es

difícil de calcular a pesar de los tres con-
troles que se ejercen –en el mismo Potosí,
en Lima y en Sevilla–, pero se supone que
el contrabando sacaba una cantidad similar a las ya altísimas cifras oficiales. Este
ritmo perdura a lo largo del todo el siglo
XVIII y no disminuye hasta la independencia del país en 1825. Lógicamente,
esta febril actividad ha de dejar sus huellas impresas en la ciudad.

La llamada de la riqueza

Ni Pizarro cuando domina Perú ni
antes los incas llegaron nunca a
imaginar que esa loma pedregosa bati-
da por el viento llevaba en sus entrañas
la mayor mina de plata de América. Pese a una cédula de Carlos I que concede
a Villarroel en 1546 el título de fundador
y al lugar el de villa imperial con su

flamante escudo, a la sazón este laberinto de callejuelas estrechas surgidas como por ensalmo carece de la más mínima reglamentación que no sea la surgida de la suerte en la explotación del mineral y de la espada.

Fundada la nueva ciudad en 1572, pronto se convierte en la más populosa del Nuevo Mundo. Para alimentar a la originalmente desquiciada aldeúcha de adobes, surgen otros núcleos satélites como Chuquisaca –hoy Sucre–, La Paz y Cochabamba, ya que el altiplano boliviano, generoso de plata pero árido en extremo, es incapaz de sustentar a las miles de personas venidas de los cuatro puntos cardinales. En 1582 existen 89 vetas registradas; está claro que no hay quien pare la prosperidad de Potosí. La riqueza florece por doquier y se levantan mansiones e iglesias. Los conflictos, lógi-

camente, tampoco faltan. Como el que ensangrienta las calles de la ciudad hacia mediados del siglo XVII entre colonos vascos y los vicuñas, nombre éste dado a los colonos de otras regiones y mestizos por los sombreros de lana de este rumiante que llevaban.

En 1691, el gobernador Pedro Enríquez obtiene del virrey la supresión casi total de la mita, lo que encarece la mano de obra. Los filones, excavados sin cesar y sin planificación, dan muestras de agotamiento. En 1780 la población ha disminuido a 24.000 almas. Cuando en 1825, ante ya sólo 8.000 ciudadanos, Simón Bolívar iza su bandera de la independencia sobre el cerro, ya no queda plata en sus entrañas. Tan sólo algunos metales como estaño, plomo, volframio, cobre y hierro que aún hacen pervivir una economía ya más serena.

PLATA HECHA ARTE

La plata de Potosí, como las monedas, tiene dos caras. El anverso es el durísimo trabajo de los indios para la extracción del metal blanco, toda la infraestructura minera consecuente y todas las fortunas que prosperan gracias a esta actividad. La segunda, todo el arte que el comercio y venta de esta plata fructifica en torres e iglesias de magnífica belleza colonial.

Poco queda del Potosí anterior al virrey Toledo; aunque casi nada se levanta entonces con intención de subsistir. Dos salvedades, ambas de 1548: las iglesias de San Lorenzo y la de Santa Bárbara, para españoles una, para indios la otra. La primera es totalmente restaurada en el siglo XVII y de la segunda apenas queda poco más que la torre cuadrada y algún muro terco ante el paso del tiempo. De la iglesia

En el año 1545, un pastor indígena descubre en el cerro de Potosí un hilillo plateado. Se acababa de descubrir la mayor mina de plata de América y a partir de esa fecha y hasta la independencia del país en el año 1825, millones y millones de toneladas del preciado metal inundaron todo el mundo. A la izquierda, un aspecto de una de las minas a cielo abierto. Sobre estas líneas, una casa con su característico mirador, ejemplo de la arquitectura civil colonial de la ciudad minera. En la página anterior, una vista general de la ciudad con el cerro Potosí al fondo.

Así se fundó Potosí

El 26 de noviembre de 1569, Francisco de Toledo, conde de Oropesa, toma posesión de su cargo, el quinto virreinato de Perú. En 1572 visita la región de Charcas y la actual Potosí. Desde el campamento minero miles de hombres se afanan en agujerear el cerro, de taladrarlo hasta en sus más mínimos resquicios. El panorama es desolador. El virrey lo transforma todo. Ese mismo año promueve el acta fundacional y ordena erigir la nueva ciudad en la llanura llamada por los indios Potoc Unu. Este trazado va en perfecto damero, acorde a las ordenanzas de Felipe II, como en toda Latinoamérica colonial, con una plaza en el centro donde se levanta la iglesia.

A su vez, el conde resucita un sistema de reclutamiento de trabajo obligatorio ideado por los incas siglo y medio antes: la mita. La mita es un servicio de trabajo forzoso que deben prestar todos los indios entre los 18 y 60 años, designados por sorteo, en turnos de cuatro meses. Estos forzados deben llevar su propio alimento y trabajar, a un salario inferior al del obrero normal, jornadas exhaustivas. Así, la mita se convierte en un símbolo más del poder español y las revueltas, sofocadas por la fuerza, se suceden y fracasan sucesivamente.

También a Toledo se debe la implantación de la técnica de obtención de lata y azogue, la erección de seis iglesias para indios y la mejora de las siete existentes, algunas todavía en pie con sus fábricas renacentistas.

matriz que presidía la plaza principal, iniciada en 1564, no queda sino el recuerdo. En 1808 las autoridades estiman que Potosí merece un templo de mayor rango y la demuelen para edificar en su solar la actual catedral. Su estilo amalgama el neoclásico con un barroco colonial que a duras penas aún subsiste en el altiplano. Su construcción dura 25 años y es como si sus dos campanarios cerraran definitivamente toda la personal etapa de esplendor del arte de la ciudad.

Pero antes, el virrey Toledo mandó edificar seis iglesias para indios y mejorar las siete ya existentes cuando su visita. De estas trece parroquias, sólo San Juan, San Martín, San Cristóbal y la Concepción conservan su primitiva fábrica renacentista.

En el siglo XVIII, justo cuando se inicia la crisis de Potosí, la ciudad entona su canto del cisne. Entonces, entre 1680 y 1770, se levantan la iglesia de los Jesuitas con su espléndida portada, la Casa de la Moneda –que sustituye a la creada por el virrey Toledo– y palacios opulentos como la denominada Casa de las Recogidas, buen exponente de las mansiones abigarradas de lujo patricio, que evidencian las diferencias sociales

Arriba, detalle de una portada colonial. A la derecha, la fachada principal y el patio central de la Casa de la Moneda, construida en el siglo XVIII cuando se inicia la crisis de Potosí, y la fachada principal de la iglesia de San Bernardo, edificada en el siglo XVII.

en contraste con las desnudas rancherías de los barrios indígenas.

En total, la ciudad llega a contar con 60 parroquiales o conventos como los ya mencionados, además de los de San Bernardo, San Agustín, San Martín o Santa Teresa, del siglo XVII. Espadañas y campanarios, relieves, portadas, frontones y hornacinas se inundan del barroco colonial e irradian su influjo por las ciudades de los alrededores. A su vez, Potosí gana merecida fama por su vida disoluta y la suntuosidad de sus fiestas.

LA SEMILLA DE LA INFLACIÓN

En la otra cara de la moneda, el trabajo para extraer la plata. Las alturas del cerro llamado Caricari aún conservan las represas que retenían y controlaban el agua que accionaba los molinos del mineral. Otra vez el gran protagonista de la historia de Potosí, el virrey Toledo, es quien toma cartas en el asunto al ordenar su construcción para poder llevar agua con presión a los molinos. Las precaucio-

nes para su mantenimiento nunca fueron pocas; pero tampoco impidieron la catástrofe de 1626 cuando reventó la laguna de Caricari, que arrasó el originario campamento minero sin dejar rastro y ahogó en sus aguas a 4.000 personas. Los muros se reconstruyeron poco después con tal firmeza que aún subsisten.

También perdura la llamada Mina Real, la mayor, más productiva y mejor conservada de las más de 5.000 –algunas a cielo abierto– que se abren sobre el llano. Todavía algunas, pequeñas, de propiedad privada y con escaso rendimiento, permanecen activas. La infraestructura industrial comprendía 22 lagunas de retención que alimentaban a través de acueductos la energía hidráulica necesaria para mover los 140 ingenios o molinos.

Potosí se asoció así a un hecho del siglo XVI de carácter universal: la decadencia y abandono de otras minas continentales menos productivas y la inflación y la crisis monetaria producidas por la ingente importación de plata de Potosí que llegaba a través del puerto de Sevilla fueron los efectos más directos en la Europa del momento. Eso sí, todo ello paralelo al surgimiento y fortalecimiento de nuevas relaciones con Lima, Buenos Aires y toda la zona andina de Latinoamérica. Todo un mundo al pie de un pequeño cerro, en fin, que bien define y resume el conocido dicho para expresar algo que tiene un incalculable valor: ¡Vale más que un Potosí!

MISIONES JESUÍTICAS DE CHIQUITOS

BOLIVIA

* **Nombre:** Misiones jesuíticas de Chiquitos (Bolivia).
* **Declaración Patrimonio:** 1990.
* **Situación:** en el departamento de Santa Cruz; un sector entre los 16°-17° de latitud sur y los 60° 30'- 62° 40' longitud oeste y otro sector entre los 17°-18° latitud sur y los 60° 30'-61° longitud oeste.

L a labor evangelizadora de los jesuitas a lo largo del siglo XVII se extendía al oriente de la actual Bolivia en una red de misiones con una organización social singular cuyas ruinas hoy testimonian el nacimiento de la nueva civilización en América Latina. Las misiones de Chiquitos constituyen el experimento de una sociedad en comunidad y un hito significativo de la implantación del cristianismo en el Nuevo Mundo.

L as misiones de Chiquitos comprenden siete enclaves repartidos en dos sectores, en su día centros autónomos económica y socialmente, y hoy todos en ruinas. El primero de ellos incorpora las fundaciones de San Javier, Concepción, San Ignacio –que ha perdido su iglesia–, Santa Ana, San Miguel y San Rafael. La segunda zona incluye a San José, la mayor de todas. Otras antiguas misiones jesuitas en Bolivia como San Juan, Santiago y Santo Corazón están prácticamente destruidas.

Desde la primera mitad del siglo XVII y hasta mediados del XVIII, se produjo la eclosión de misiones en América del Sur. Los jesuitas implantaron diversas reducciones –vocablo ligado a la "reducción" de la población de indios paganos– por Perú, Paraguay, sur de Brasil, Argentina y Bolivia, que fueron fruto de una labor evangelizadora y de las indicaciones desde España para una colonización pacífica, cristiana y próspera de las enormes poblaciones de indios.

UNA PRÓSPERA EVANGELIZACIÓN

E n su exploración de la zona norte de Santa Cruz de la Sierra, los jesuitas fundaron en 1696 la misión de

San Javier y un año después San José, cerca de la vieja Santa Cruz. A lo largo del siglo XVIII se establecieron las misiones de San Miguel, en 1721, Concepción, en 1722, y Santa Ana, en 1755, dentro del proyecto de expansión de la labor evangélica.

Los misioneros jesuitas lograron la prohibición de que los españoles entraran en la zona, salvo autoridades y contadas excepciones, lo que otorgaba a las misiones una semiindependencia política y social respecto al virreinato de Perú y a la audiencia de Charcas, si bien pagaban tributos y luchaban por la Corona española. El obispo de Santa Cruz y el gobernador eran los mandatarios que supervisaban la labor jesuita y mediaban para hacer llegar las nuevas órdenes reales desde Madrid.

Al igual que en otras misiones jesuíticas del Paraguay, dos misioneros ejercían la dirección espiritual de la población, mientras que la organización social corría a cargo del cacique indígena. La Chiquitanía, como así también se la conoce, basaba su economía en el trabajo agrícola y la pesca. Cada familia recibía una parcela para su cultivo y entregaba parte de la cosecha a la comunidad para su poste-

Las misiones de Chiquitos, en la zona norte de Santa Cruz de la Sierra, en Bolivia, comenzaron a fundarse a finales del siglo XVII. A lo largo del siglo XVIII fueron establecidas la misión de San Miguel (arriba y derecha arriba), y la de San Rafael, de la que vemos la torre de su iglesia (derecha, abajo). En la página anterior, el interior de la iglesia de la misión de Santa Ana.

rior reparto equitativo. De todos modos, la mayoría de los terrenos eran comunales, siendo el arroz, la mandioca, el algodón, la caña de azúcar y otros productos tropicales los cultivos más extendidos. De esta forma, la población recibía por igual todos los beneficios del trabajo, incluso aquéllos que no lo realizaban como viudas, niños, ancianos, artistas, etc.

La población media de estas reducciones oscilaba en su momento de mayor densidad entre los 1.300 habitantes de San Javier y los 4.500 de San José y San Ignacio. Los indígenas pertenecían a tres grupos lingüísticos diferentes –chiquitana, arakawa y chapacura–, todos de lengua muy armoniosa que ha sido relacionada con el idioma guaicurú de la zona de El Chaco. Los propios nativos construían las iglesias, si bien con los planos de importantes arquitectos jesuitas procedentes de Suiza, como Martin Schmidt, o de Baviera, el caso de Adalberto Martircer. Los jesuitas enseñaron a su vez nume-

rosos oficios a los indios chiquitos, existiendo en todos los asentamientos verdaderos maestros en una gran variedad de oficios: plateros, doradores, herreros, pintores, músicos, torneros, escultores, etc.

La Compañía de Jesús fue expulsada de España en 1767, un año después de que el Alto Perú –región que entonces comprendía a la actual Bolivia– se incorporara al recién creado virreinato del Río de la Plata y Chiquitos quedara como una gobernación dependiente de Buenos Ai-

res. A partir de esa fecha se inició el decaimiento de estas misiones aunque, sin embargo, durante un tiempo y hasta prácticamente su desaparición, conservaron sus tradiciones y su sistema social.

PROPIEDAD COMUNAL

En el primer encuentro que hubo entre españoles y chiquitos, en 1558, los expedicionarios de Nuflo de

Chaves encontraron tal bravura en sus contendientes que, además de varios muertos, salieron heridos 40 expedicionarios y 700 indios aliados. La hierba con que los chiquitos envenenaban sus flechas era tan activa que murieron 19 españoles más y 300 indios, sin contar 40 caballos. A pesar de eso, la tenacidad de los conquistadores fue tal que en febrero de 1561 se fundó la ciudad de Santa Cruz de la Sierra, junto al pueblo de San José, que luego sería abandona-

Las iglesia de Santa Ana (arriba), de San Rafael (derecha, arriba) y de San Ignacio (derecha, abajo) son el testimonio de una singular experiencia socioeconómica comunal, realizada por los jesuitas en Latinoamérica durante los siglos XVII y XVIII, basada en un igualitarismo, un trabajo y una obediencia que buscaba, dentro de una labor evangelizadora de propagar el cristianismo, establecer unas comunidades de indígenas que fueran autosuficientes.

da para levantarse la nueva Santa Cruz en 1575. Un censo de la época habla de una población de 60.000 indios en la provincia de Chiquitos.

Sin embargo, desde el siglo XVII hasta mediados del XVIII, no más de 475 jesuitas fueron capaces de evangelizar y dirigir a casi medio millón de indios en Latinoamérica, de los que más de 300.000 eran guaraníes, en poco más de treinta misiones. Las bases en todos los casos fueron muy simples: igualitarismo, trabajo y obediencia. Los horarios estaban muy reglamentados con abundancia de ejercicios devotos y escasas diversiones. El trabajo era obligatorio. Todos vestían con tela rústica excepto el cacique en días señalados. El sistema

no se basaba en la esclavitud, ni en la servidumbre ni en la encomienda. El régimen económico era esencialmente comunitario; aunque una parte de lo producido se destinaba al consumo familiar y una tercera porción a los gastos de culto. La construcción y reparación de edificaciones y obras públicas se emprendía en común y también pertenecían a la comunidad el ganado y los útiles de trabajo. El matrimonio era monógamo y obligatorio a partir de los 17 años para el varón y los 15 para la mujer. El rey español autorizó a los jesuitas a crear un ejército propio de indios, aunque provisto de un armamento muy rudimentario. Este ejército entró de hecho en combate en numerosas ocasiones, tanto contra los raptores de escla-

vos –los *bandeirantes*–, como junto a las tropas españolas contra las incursiones de los portugueses.

Los jesuitas procuraron ser autónomos e independientes de los poderes civil, militar y eclesiástico españoles, pero no lo consiguieron. El tratado hispano-portugués de Madrid de 1750 fijó nuevas fronteras que obligaban a abandonar las misiones y trasladarlas a los nuevos límites. La consiguiente y fallida rebelión guaraní y la posterior expulsión de los jesuitas de los dominios españoles pusieron punto final a esta experiencia sin igual en la que el respeto a las creencias indígenas y su paulatino encauzamiento hacia el catolicismo en un ambiente de trabajo fueron la regla de oro. La prospe-

ridad fue también notoria, aunque rápidamente destruida tras la expulsión de los jesuitas. El gobernador de Chiquitos decía en 1793 que "pasaba sólo el número del ganado vacuno en sus estancias de 150.000 cabezas".

En la actualidad las misiones de Chiquitos representan los restos del experimento de una sociedad comunal hecha por los jesuitas en las zonas tropicales del sur de Latinoamérica, cuyos enclaves significativos fueron también las reducciones guaraníes de Paraguay y las de Argentina y Brasil. En todas ellas se trató de establecer unas comunidades autosuficientes de indígenas dentro de una labor evangelizadora y de propagación del cristianismo.

Parque Nacional
Iguazú

Argentina y Brasil

❖ **Nombre:** Parque Nacional Iguazú
(Argentina y Brasil).
❖ **Declaración Patrimonio:** 1984
(Argentina) y 1986 (Brasil).
❖ **Situación:** en la provincia argentina de
Misiones y en la brasileña de Paraná; en
los 25° 20' de latitud sur y en los 54° 26'
de longitud oeste.
❖ **Extensión:** 55.500 has (Argentina),
más 170.000 has (Brasil).

l río Iguazú toma sus primeras aguas en la Serra do Mar, a 1.300 metros de altura, cerca de la costa atlántica. Fluye después en dirección oeste, adentrándose en el continente sobre un curso sinuoso y accidentado de más de 500 km de longitud. Veintiocho kilómetros antes de su desembocadura en el Paraná, el río se despeña a través de las más imponentes cascadas de Sudamérica.

Poco antes de la caída, el río forma un arco muy pronunciado, abriéndose en multitud de brazos separados por isletas. Después, la tierra se abre en un imponente barranco, de 2.700 metros de perímetro, que es vencido por las aguas por un número de saltos que oscila entre los 160 y 280, según el cambiante caudal del río.

La Garganta del Diablo

Las cataratas presentan forma de arco de herradura. La vena principal del río, que marca la divisoria entre Argentina y Brasil, se despeña por la Garganta del Diablo. No hay duda de que el salto hace honor a su nombre: las aguas revueltas se desploman a pico 80 metros, chocando

LA CASCADA MÁS ESPECTACULAR DE SUDAMÉRICA

"**D**a el río un salto por unas peñas abajo muy altas, y da el agua en lo bajo de la tierra con tan golpe, que de muy lejos se oye; y la espuma de agua, como cae con tanta fuerza, sube en alto dos lanzas o más."

La descripción anterior corresponde al cronista Hernández, que actuó como secretario de la expedición realizada por Álvar Núñez Cabeza de Vaca entre Santa Catalina y Asunción en el año 1541. Los expedicionarios bautizaron las cascadas como Saltos de Santa María, nombre que con el tiempo caería en desuso manteniéndose el topónimo guaraní de Iguazú, traducible por "agua grande" (I, agua; guazú, grande).

Los expedicionarios nos han legado además un vívido relato de las peripecias que hubieron de sufrir por los terrenos de selva paraenense. Formaban una partida de 280 hombres, que se desplazó desde Santa Catalina hasta Asunción, ante el angustiado recado del Gobernador por el que solicitaba refuerzos militares. El propio Cabeza de Vaca narra: "Por estas tierras fui caminando tiempo de cinco meses, en los cuales se recorrieron cuatrocientas leguas de camino y casi doscientas se abrieron en cañaverales o bosques espesos; yo caminé siempre a pie y descalzo, para animar a la gente que no me desmayase..." Por su parte, el escribano Hernández completa la descripción de manera harto elocuente: "Se rescibió gran trabajo en el caminar a causa de los muchos ríos y malos pasos que había; que para pasar la gente y los caballos hubo día que se hicieron dieciocho puentes, así para los ríos como para las ciénagas, que las había muchas y muy malas; y asimismo se pasaron grandes sierras y montañas muy ásperas y cerradas de arboledas de caña muy gruesas que tenían púas muy agudas y recias, que para poder pasar iban siempre delante veinte hombres cortando y abriendo camino ... Y además del trabajo, pasaron mucha hambre."

Las espectaculares cataratas de Iguazú (páginas anterior e izquierda), a caballo entre Argentina y Brasil, con unos 80 metros de caída y una longitud de 2.700 metros, constituyen un fenómeno único en el mundo. A los charcos vecinos a las cataratas acuden millares de mariposas para absorber en ellos las sales disueltas (izquierda, abajo). Arriba, un ejemplar de mono capuchino.

contra el fondo y levantando nubes de vapor que en ocasiones impiden ver la otra orilla. El estruendo es, en las cercanías del salto, ensordecedor, así como la sensación de vértigo que provoca la masa de agua al desplomarse.

El arco oriental del salto, situado en territorio brasileño, presenta una longitud de 600 metros e incluye los saltos de Benjamin Constant y Floriano. Está recorrido por una serie de caminos que permiten al visitante disfrutar de magníficas vistas de la orilla opuesta argentina. Cuenta además de un observatorio suspendido sobre las aguas y enfrentado a la Garganta del Diablo, en que resulta difícil mantenerse sin experimentar escalofríos –como dato anecdótico cabe señalar que existe un servicio de alquiler de chubasqueros a la entrada del observatorio; de

otra manera, el visitante se vería obligado a disfrutar de una ducha al tiempo que admira la cascada, como consecuencia del vapor de agua levantado por el salto.

Por su parte, el sector occidental argentino presenta una longitud de dos kilómetros, en el que se dan cita los saltos Belgrano, Mitre y Escondido. Las aguas de este sector se unen para formar, aguas abajo del Gran Salto, el Iguazú Inferior, que se unirá después a la vena que se desplomó por la Garganta del Diablo.

Comprender en su perfecta dimensión la grandiosidad de las cataratas de Iguazú requiere una pequeña puntualización sobre la historia geológica del área. La zona se encuentra formada por extensos mantos de lava que afloraron durante el período Jurásico de manera no explosiva, mediante suaves derrames deslizan-

tes que emergían de fallas y suturas todavía no solidificadas. De hecho, la zona constituye la mayor superficie de lavas emergidas del planeta, con coladas extendiéndose a lo largo y ancho de un millón de kilómetros cuadrados. El relieve de la región fue modificado en el Cuaternario, debido a una sucesión de períodos secos y húmedos que hicieron oscilar el nivel del río. En estos últimos, las aguas se encajonaron y comenzaron su labor de excavación, de modo que los saltos de agua por los que se precipitaban en caída brutal millones de toneladas de líquido fueron lentamente retrocediendo y formando un estrecho cañón. Las iniciales cataratas, formadas al salvar las aguas del río Iguazú el desnivel existente hasta el curso del Paraná, fueron comiendo terreno a las coladas basálticas, hasta situarse

Alrededor de las múltiples cascadas que producen inmensas nubes de vapor (arriba), la selva húmeda subtropical encierra más de 2.000 plantas vasculares (derecha superior e inferior) y sirve de refugio a numerosas poblaciones de aves y mamíferos, muchos de ellos en peligro de desaparición. Abajo, el río Iguaçu antes de precipitarse en la cascada. A la derecha el perezoso, un mamífero arborícola que vive en estas selvas.

en la actualidad 28 km por encima de la confluencia de ambos ríos.

VIDA ENTRE SALPICADURAS

Las nubes de agua pulverizada que bañan permanentemente paredes e islotes cercanos a las cataratas permiten el desarrollo casi exclusivo de unas gramíneas hidrófilas, *Paspalum lilloi,* y de una podostenácea *(Podostemon cornata)* con aspecto de alga, que posee unos lar-

gos tallos adheridos a la roca por detrás de la cortina de agua. Las bandadas de cotorras chiripepé *(Pyrrhura frontalis)* atraviesan el espacio con su continuo deambular entre el comedero –zonas arboladas, cuajadas de frutos y semillas– y las cascadas, a donde acuden a beber. Los charcos que se forman cerca de las caídas, en particular aquéllos con alto contenido en materia orgánica, atraen grandes bandadas de mariposas de diversas especies, que acuden para absorber las sales disueltas y la humedad. Golondrinas barran-

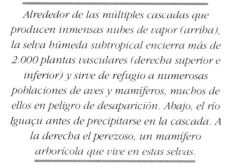

queñas y de ala blanca, vencejos grandes, y tres especies diferentes de martín pescador son algunos de los asiduos visitantes del río. En aquellos tramos donde el barranco no está cubierto de agua, sobre la roca desnuda se concentran los zopilotes *(Coragys atratus),* un popular tipo de buitre americano, para tomar baños de sol comunales con las alas extendidas.

Los senderos peatonales antes descritos permiten además observar de manera

tronco lleno de espinas y cuya roja inflorescencia ha sido elegida como flor nacional argentina, o el ingá *(Inga uruguensis),* de hermosas flores filamentosas muy apreciadas por los monos aulladores y en las que se hospedan las larvas de la mariposa *Morpho catenaruis.*

Mal podía sospechar Álvar Núñez Cabeza de Vaca que aquellos parajes que le causaron tanto quebranto fueran a convertirse, cuatro siglos más tarde, en desti-

a estas líneas: "Cuando estamos a la vista de este mundo de cascadas y levantamos los ojos, vemos encima de nosotros el horizonte copado por una línea de agua, el sobrecogedor espectáculo de un océano derramándose en el abismo. Las aguas del diluvio cayendo abruptamente en el corazón del mundo, por designio divino, en un paisaje de memorable belleza formado por vegetación casi tropical, las frondes de grandes helechos, cañas de

inmejorable diferentes aspectos botánicos de la selva higrófila. El curupay *(Adenanthera macrocarpa),* relativamente escaso en terrenos más secos, crece aquí con profusión, al igual que el arbusto endémico *Roupala catactarum.* Pueden además apreciarse plantas de sorprendente belleza, como el seibo *(Erythrina cristagalli),* retorcida leguminosa con

no de más de medio millón de viajeros anuales. No obstante, la percepción de la belleza es una facultad intemporal y desde los primitivos guaraníes –que han legado hermosas leyendas sobre las cataratas– hasta nuestros días, generaciones de viajeros han expresado su recogida admiración en Iguazú. Sirvan las palabras del botánico suizo Robert Chodart de epílogo

bambú, gráciles troncos de palmeras y un millar de especies de árboles, con sus copas adornadas de musgos, rosadas begonias, orquídeas doradas, brillantes bromelias y lianas con flores atrompetadas; todo esto, agregado al mareante y ensordecedor rugido de las aguas produce una impresión indeleble, conmovedora, más allá de las palabras."

MISIONES JESUÍTICAS DE LOS GUARANÍES

ARGENTINA Y BRASIL

* **Nombre:** Misiones jesuíticas de los guaraníes (Argentina y Brasil).
* **Declaración Patrimonio:** 1983.
* **Situación:** en el estado de Río Grande do Sul, en Brasil, en la provincia de Misiones, en Argentina; entre los 27° 10' y los 28° 30' de latitud sur y entre los 55° 10' y los 55° 40' de longitud oeste.

L as ruinas de San Miguel de las Misiones en Brasil y las de las reducciones argentinas también jesuitas de San Ignacio Mini, Nuestra Señora de Santa Ana, Nuestra Señora de Loreto y Santa María la Mayor, representan un hito histórico y un testimonio de valor incalculable sobre la cristianización de las tribus aborígenes guaraníes entre las orillas del Paraná y del Uruguay durante los siglos XVII y XVIII. Además, suponen una experiencia socioeconómica única en el Nuevo Mundo.

L a historia de estas reducciones tiene lógicamente dos grandes protagonistas: de un lado, la orden religiosa fundada por san Ignacio de Loyola, de otro, las tribus indígenas del sur de Brasil y norte de Argentina.

Las reducciones son sinónimo de misiones, los asentamientos fundados por jesuitas entre los ríos Paraná y Uruguay, 30 en total, de los que 7 están en el actual Brasil, 15 en Argentina y el resto en Paraguay. Sin embargo, no todas se han conservado con igual fortuna e incluso las ruinas que aún permanecen en pie son muy vulnerables a cualquier impacto ambiental.

Las comunidades jesuitas se basaban en la enseñanza de la religión católica y en la práctica del trabajo y propiedad casi en común. Su organización urbanística, simple y ordenada, se repite conforme al canon establecido por la orden con el uso de materiales locales y de artesanos indígenas.

Estas poblaciones catecúmenas representan un eslabón histórico insoslayable a la hora de comprender la cultura de esta parte del planeta, además de una experiencia económica y social verdaderamente única.

A ORILLAS DEL PARANÁ Y EL URUGUAY

Los jesuitas Cristóbal de Mendoza y Pablo Benavides llegan a Itaiacecó en 1632, a orillas del Ibicuí, en la sierra de San Pedro, e inmediatamente inician su labor de evangelización. Pero los ataques de los cazadores de aborígenes para lograr esclavos se suceden y deben desplazar la misión en 1637. Poco después, a la vista de que este segundo enclave es insuficiente para acoger a los 4.000 miembros de la población conversa, fundan en su actual ubicación la misión de San Miguel Arcángel, o San Miguel de las Misiones, junto al río Piratiní, afluente del Paraguay.

Las ruinas del colegio, del cementerio y de la iglesia en el lado norte de la plaza principal –de unos 130 metros de lado– y las casas de los indios alrededor de los otros tres son el único legado que ha resistido a duras penas y con tenacidad al paso del tiempo.

Hay que considerar que la iglesia original fue reemplazada en el siglo XVIII por una edificación barroca de paredes totalmente en piedra ante la carencia de cal en la zona, lo que significa una ver-

Las fotografías nos muestran la misión jesuítica argentina de San Ignacio Mini (arriba y página anterior), un detalle escultórico de la misión de San Miguel en Brasil, la iglesia de la misión de Santa Rosa en Argentina (centro), y la misión de la Trinidad en Paraguay (derecha), frontera con Argentina. Todas ellas constituyen un testimonio irremplazable de las misiones jesuíticas en el país guaraní durante los siglos XVII y XVIII.

dadera novedad, junto con la no utilización de argamasa para unir los bloques de roca eruptiva que forman sus paramentos. Además, este nuevo templo posee el único campanario y frontispicio existente de todas las misiones jesuitas de la región. La iglesia está orientada al norte para protegerse de los vientos más fríos del sur y su arquitecto fue el jesuita milanés Gian Battista Primoli, quien también edificó la catedral de Buenos Aires. Se ignora la

fecha exacta en que comenzaron las obras, pero se sabe que se concluyeron en 1750 y que en ella colaboraron entre 80 y 100 obreros indios y que en 1760 un incendio destruyó el mobiliario y los ornamentos litúrgicos.

Por su parte, la historia de estas reducciones en Argentina se remonta a 1610 y 1615 cuando se establecen las de San Ignacio y Loreto cerca del río Paranapanema. Salvo la franja atlántica, to-

do el actual Brasil pertenecía al reino español; pero precisamente esta parte de la colonia portuguesa necesitaba esclavos para los mercados de Sao Paulo y Río de Janeiro. Surgen los *bandeirantes,* cazadores de indios, cuyas incursiones destruyen ocho reducciones y obligan a trasladar las misiones supervivientes. Tras enormes peripecias, 5.000 indios más los 7.000 de las ocho misiones destruidas llegan a su

actual emplazamiento en una región que llegará a albergar a 150.000 conversos. En el año 1641 los jesuitas arman rudimentariamente y enseñan tácticas de guerra a 4.000 guaraníes. La batalla con los *bandeirantes* se entabla en las márgenes de M'bororé y acaba con la victoria española.

San Ignacio Mini, Nuestra Señora de Santa Ana, Nuestra Señora de Loreto y Santa María la Mayor son las cuatro reduc-

ciones jesuíticas que aún conservan en mayor medida sus ruinas en Argentina. Su estructura es similar a la ya descrita: colegio, iglesia y cementerio de un lado, casas de catecúmenos en los restantes alrededor de la plaza. En Nuestra Señora de Santa Ana y en San Ignacio Mini también se conservan restos del consejo municipal, de los talleres, de la prisión y de lo que en su día fueron cuidados huertos.

EL PARAÍSO DESTRUIDO

El modelo de organización de las reducciones contiene diversas peculiaridades. El gobierno corresponde a dos padres jesuitas, el párroco y su ayudante, auxiliados, o más bien supervisados, por el cabildo formado por el corregidor –refrendado por el gobernador de Buenos Aires– y varios alcaldes. Entre los misioneros se contaban médicos, arqui-

tectos, técnicos agrícolas, etc.; por ende, la prosperidad, basada en la explotación agropecuaria y la artesanía, era notoria, aunque con una economía de subsistencia. Por una parte, el indio no comprende producir excedentes y la propiedad se basa en la colectividad tribal. Por el lado contrario, hay que satisfacer los impuestos de la Corona española y combatir a sus órdenes, como así se hace en 39 ocasiones en apenas un siglo. Era difícil compaginar la secular cultura de la selva con la educación jesuita y el ansia de conquista de la Corona española.

Sin embargo, el tratado de Madrid de 1750 anula las antiguas fronteras del tratado de Tordesillas de 1494, y las colonias jesuitas al oriente del río Uruguay pasan a ser propiedad de Portugal. Los nuevos dueños instan a trasladarse a los religiosos y sus enseres a los dominios españoles en el plazo de un año. Surge la rebeldía. A principios de 1754 el párroco de San Miguel, padre Lorenzo Balda, se le-

A la izquierda, la misión de San Miguel en Brasil en una fase avanzada de su restauración, y junto a estas líneas, la misión de San Ignacio Mini (arriba) y la de San Cosme y San Damián (abajo), ambas en Argentina. Todas ellas revelan la aptitud creadora de los indígenas guaraníes y representan una experiencia económica y socio-cultural sin precedentes en la historia de los pueblos.

vanta en armas con toda la misión, que es derrotada en el primer combate. En 1755 más de 3.200 soldados y 19 cañones, entre portugueses y españoles, se enfrentan a 2.100 guaraníes, 2 cañones artesanales y los estandartes religiosos que portan los sacerdotes como toda protección. Mueren más de 1.500 indios.

En 1761 se deroga el tratado de Madrid y los jesuitas se reagrupan. Pero Carlos III expulsa de España a la Compañía de Jesús en 1767. Sus sustitutos, mercedarios, franciscanos y dominicos, no tienen el carisma y arraigo de los jesuitas, y la decadencia se adueña de la misiones. A mediados del siglo XIX no viven más de 350 personas entre todas las misiones orientales. A partir de entonces, la ruina. Quedaron, aquí y allá, los restos de unas pocas misiones, como un símbolo de una nueva organización basada en el respeto al indígena por parte del colonizador, paralelo a la evangelización de enormes masas de población en plena selva. Además, las reducciones jesuíticas representaron una actitud creativa para adaptar estilos y organizaciones sociales a las nuevas condiciones geográficas y culturales. Son el germen, en suma, de la nueva civilización de Latinoamérica.

- **Nombre:** Parque Nacional Los Glaciares (Argentina).
- **Declaración Patrimonio:** 1981.
- **Situación:** en la provincia de Santa Cruz, entre los 49º 15' - 50º 40' de latitud sur y entre los 72º 45' - 73º 30' de longitud oeste.
- **Extensión:** 445.900 has (parque), más 154.100 has (reserva nacional).

PARQUE NACIONAL LOS GLACIARES

ARGENTINA

stas masas de nieve, que nunca se funden y parecen destinadas a durar tanto como el mundo, ofrecen un espectáculo noble y sublime."

Charles Darwin,
1834. *El viaje del Beagle.*

Cerro Torre, Fitz Roy, lago Argentino, glaciar Perito Moreno ... Cuatro topónimos que bastan para excitar la imaginación de cualquier admirador de la naturaleza, capaces de poner los pelos de punta al alpinista más avezado, con su secuela de tormentas y desgraciados accidentes. Y, encerrando a todos ellos, el Parque Nacional Los Glaciares, ubicado en el corazón de la Patagonia, allá donde las difusas fronteras de Chile y Argentina se pierden sobre uno de los mayores casquetes de hielo del planeta. Último reduc-

to de la cordillera andina que, habiendo perdido la elevación de su sector central, se niega a ceder un ápice de su bravura y sobrecogedora grandiosidad.

El parque nacional se extiende al este de una calota de nieves eternas de prodigiosas dimensiones: 14.300 kilómetros cuadrados, que forman un óvalo irregular de 350 kilómetros de longitud y de una anchura variable entre los 40 y 70 kilómetros.

Desde esta calota, conocida por el Campo de Hielo Patagónico, descienden 47 glaciares, de los que 37 vierten al Pací-

fico y 10 hacia la vertiente atlántica. Estos últimos, conocidos por Marconi, Viedma, Moyano, Upsala, Onelli, Spegazzini, Mayo, Ameghino, Moreno y Frías, configuran el Parque Nacional Los Glaciares.

PERITO MORENO

En el año 1877, el perito Francisco Moreno describió por primera vez un gran lago que, situado a los pies de la cordillera, recibía las nieves perpetuas de

imponentes glaciares que caían directamente sobre las aguas. El contraste entre el blanco de las aguas y el azul del cielo trajo a la memoria del explorador los colores de la bandera de su país, ayudándole a encontrar nombre para la masa acúatica: Lago Argentino. Más tarde, y como agradecimiento a aquel arriesgado topógrafo, el más hermoso de los glaciares que vierten sobre el Lago Argentino recibió el nombre de Perito Moreno.

El glaciar Moreno presenta una longitud de 54 kilómetros, con una anchura media de 4 km. Sin constituir el mayor glaciar del parque, sí resulta el más popular, tanto por su belleza como por los imponentes "seracs" de hasta 60 metros

FITZ ROY Y CERRO TORRE

En el extremo norte del Parque Nacional Los Glaciares se alzan imponentes las agujas del Fitz Roy –que debe su nombre al capitán del barco en que Darwin realizó su periplo, el Beagle– y el cerro Torre. A los pies de estos picos se localiza el lago Viedma, en un paisaje inhóspito de terrenos desérticos. Las condiciones meteorológicas de la zona, con vientos de hasta 200 kilómetros por hora y tormentas que pueden alargarse durante 50 días, han creado una leyenda en torno a estas montañas, convirtiéndolas en destino soñado pero inalcanzable para multitud de escaladores.

El pico Fitz Roy "tan sólo" cuenta con 3.441 metros de altura. Sin embargo, está configurado por un gigantesco cono granítico que levanta sus escarpadas rocas sobre un desnivel de 2.000 metros. Tras diversos intentos fallidos de escalada, la montaña fue coronada por Guido Magnone y Lionel Terray el 2 de febrero de 1951, tras una tenaz lucha de un mes contra tormentas, desalientos y huracanes. Escribió Terray: "En ninguna de mis ascensiones me encontré como en el Fitz Roy tan a punto de agotar mi fuerza de resistencia física y psíquica. La conquista de esta montaña no representa ninguna nueva fase en la historia del alpinismo; sin embargo, es quizá la montaña más difícil de escalar sobre la tierra que hasta ahora haya sido conquistada."

Cinco kilómetros al sudoeste del Fitz Roy y separado de éste por el glaciar Grande se eleva el cerro Torre (3.128 m). Por su altura, parecería una ridícula elevación; sin embargo, sus líneas no son las de una montaña, sino las de una torre, una espantosa columna de roca y hielo. Fue conquistada en enero de 1959 por Egger y Maestri. Este segundo escalador, conocido por la "araña de los Dolomitas", anotó en su diario: "No me siento feliz. ¡Cuánta fatiga, cuántos peligros para poder conquistar esta montaña! No dejamos en la cumbre más que algunas pisadas en la nieve, una caja vacía con la que juega el viento y un sueño roto." Forzoso es añadir que Egger, uno de los mejores escaladores de la posguerra, murió en el descenso arrastrado por un alud. Maestri regresó solo, con el alma destrozada y marcado por la tragedia.

de profundidad que jalonan la lengua. El glaciar no presenta morrena terminal, ya que sus hielos caen directamente sobre la parte sur del lago. En el año 1947 ocurrió por primera vez un fenómeno sorprendente: el glaciar llegó a seccionar el lago a la altura del Canal de los Témpanos, formando una presa natural que rompió en dos la masa de agua, impidiendo el drenaje de la parte más meridional. Pronto comenzó a subir el nivel de las aguas en este sector, que anegaron prados y sumergieron viviendas. Los intentos de voladura artificial por explosivos del dique de hielo fracasaron, hasta que finalmente la presión del desnivel hídrico provocó filtraciones y fracturó el glaciar.

El Parque Nacional Los Glaciares recibe este nombre por la presencia de numerosos glaciares procedentes del denominado Campo de Hielo Patagónico. La mayoría de estas lenguas heladas pertenecen a la vertiente pacífica, como el glaciar Moreno (arriba), con su impresionante frente móvil. En el parque se diferencian claramente dos grandes formaciones fitogeográficas: la estepa (izquierda) y el bosque (derecha). En la página anterior, el pico Fitz Roy.

En la doble página anterior, el glaciar Moreno, el más espectacular de los trece ríos de hielo que desembocan en los lagos Argentino y Viedma, en el Parque Nacional Los Glaciares. Sobre estas líneas, la lenga, el árbol dominante en estas masas forestales.

Similar proceso se registró en el año 1970. En aquella ocasión, el hielo invadió con más violencia que nunca los bosques que enmarcan el Lago Argentino, destrozando árboles y barriendo la ladera rocosa opuesta al avance del glaciar. Después de dos años, el agua en el sector aislado por el glaciar alcanzó una altura de 40 metros respecto al resto del lago. En marzo de 1972, una sección de la pared helada empezó a brillar con un intenso azul y se abrió una grieta gigantesca; finalmente,

la lengua del glaciar se resquebrajó, liberando toneladas de hielo. Se formó un túnel abovedado de 40 metros de anchura por 170 de altura que permitió el desagüe del Brazo Rico, fluyendo el agua por el agujero con un caudal aproximado de 8.000 metros cúbicos por segundo durante dos días. Igualado el nivel de ambas secciones del lago, pudo comprobarse que el Lago Argentino había ascendido algo más de dos metros por encima de su cota anterior, guarismo realmente asom-

broso si se tiene en cuenta que su superficie es de 1.300 kilómetros cuadrados.

Sobre el Lago Argentino vierte además sus hielos el glaciar Upsala, el mayor del parque con cerca de 500 kilómetros cuadrados.

El parque nacional encierra un muestrario completo de las diferentes formas y procesos que ilustran el glaciarismo. Al Campo de Hielo y sus glaciares deben sumarse las manifestaciones de erosión –bloques erráticos, lagunas en rosario,

conos de fusión, tablas glaciares–, hídricas –pozos de agua, marmitas de gigante, túneles–, formas topográficas procedentes de acumulación –morrenas laterales, centrales, frontales– y formas derivadas de la abrasión de los hielos –rocas aborregadas, paredes estriadas, gargantas encajonadas–. En la actualidad, la totalidad de los glaciares del parque, a excepción del Perito Moreno, se encuentran en fase de regresión, circunstancia extensible a los glaciares de Nueva Zelanda.

Los Glaciares, que comprende un parque nacional de más de 445.000 hectáreas y una reserva nacional de más de 154.000 hectáreas, es una región montañosa caracterizada no sólo por sus numerosos glaciares que le dan el nombre sino también por sus abundantes y espectaculares lagos.

La glaciación con todas sus manifestaciones puede observarse a gran escala en este sitio del Patrimonio Mundial. A la izquierda, el glaciar en movimiento Perito Moreno, uno de los múltiples lagos de la región y un iceberg desprendido del frente de un glaciar en el lago Argentino. A la derecha, el glaciar Perito Moreno.

BOSQUES Y PAMPAS

El parque Los Glaciares padece el efecto de "sombra de lluvia". Las cumbres montañosas que alimentan el Campo de Hielo retienen las masas húmedas del Pacífico, de suerte que al este de las mismas las precipitaciones se sitúan en la banda de los 800-1.000 mm anuales. Estas lluvias son suficientes para permitir el asentamiento de densos bosques de lenga *(Nothofagus pumilio)*, mezclada con ñires o hayas antárticas *(N. antarctica)*, allá donde las precipitaciones son menores. Los bosques alternan con pampas, llanuras desarboladas frecuentemente sacudidas por los fuertes vientos.

El parque Los Glaciares se ha puesto de moda, recibiendo miles de visitantes que se benefician de las infraestructuras turísticas creadas, particularmente en torno a la ciudad de Calafate. Adecuadas comunicaciones terrestres y fluviales permiten acceder cómodamente a algunos de los puntos más interesantes. Con todo, el visitante se ve obligado a recordar en ocasiones la grandiosa dureza y desolación de los paisajes, que condujeron a anotar al joven Charles Darwin en su diario: "En estas silenciosas soledades, el espíritu dominante parece ser la muerte en lugar de la vida."